AF572884

IMPRESSUM © Disney Enterprises, Inc. 2018, Walt Disney Lustiges Taschenbuch Ultimate Phantomias erscheint sechsmal im Jahr bei Egmont Ehapa Media GmbH, Alte Jakobstraße 83, 10179 Berlin | **Geschäftsführer** Klaus Thyge Hoeg-Hagensen | **Chefredaktion** Peter Höpfner (v.i.S.d.P.) | **Marketing & Kooperationen** Jörg Risken (Publishing Director) j.risken@egmont.de, Christoph Bergholz (Senior Product Manager) c.bergholz@egmont.de | **Druck** GGP Media GmbH, Karl-Marx-Straße 24, 07381 Pößneck | **Traffic Management** Michaela Brusch | **Anzeigenverkauf** Klaus Thyge Hoeg-Hagensen (verantwortlich) | **Head of Media Sales** Dirk Eggert | **Kontakt Walt Disney Publishing** Susanne Michels | **Freie Mitarbeiter dieser Ausgabe** Manuela Buchholz (Übersetzung), Elvira Brändle, Janine Eck (Redaktion), Sigi Hepner, Ursula Ries, Steffen Uzler (Grafik) | Die Redaktion arbeitet auf Grundlage der neuen amtlichen Rechtschreibregeln und hält sich bei Auswahlfällen an die vom Duden bevorzugte Schreibweise. |

www.lustiges-taschenbuch.de
www.egmont-mediasolutions.de
www.ehapa.de

EGMONT
Ehapa Media

SERVICE-BOX

LTB im Abo – www.egmont-shop.de/ltbabo

Leserservice Lustiges Taschenbuch Ultimate Phantomias Leserservice, 20080 Hamburg, E-Mail: info@egmont-service.de, Tel. 030-99194680, Fax 030-99194681 (reguläre Gesprächsgebühren für einen Anruf im deutschen Festnetz gemäß Ihrem Anbieter und Tarif)

LTB Ultimate Phantomias verpasst?
www.egmont-shop.de/ltb-phantomias

Wo gibt es LTB Ultimate Phantomias am Kiosk?
www.mykiosk.com

LTB als eComic?
Erhältlich z. B. im AppStore, bei Google play, Amazon etc.

Viele weitere tolle Comic-Angebote:
www.egmont-shop.de

24

Walt Disney

Lustiges Taschenbuch

ULTIMATE PHANTOMIAS

DIE CHRONIK EINES SUPERHELDEN

EGMONT EHAPA MEDIA GMBH

INHALT

DES SUPERHELDEN TREUE HELFER

Entenhausens Rächer der Beklagten und Beklauten tritt erneut in Aktion. Und damit Phantomias' Ruf als Superheld auch zukünftig tadellos bleibt, unterstützt ihn Daniel Düsentrieb nach Leibeskräften. Zum Glück, wie man beinahe betonen muss! Denn ohne den genialen Erfinder würde unser maskierter Retter wohl stets auf den Schnabel statt auf die Füße fallen. Und so freut sich nicht nur der geneigte Leser, dass Entenhausens nächtlicher Beschützer auch in diesem Buch wieder ein außergewöhnliches Ausrüstungsarsenal sein Eigen nennt.

Vom Telelasso über das Magnetnetz bis zum Schlingpflanzenschneider (den Phantomias übrigens stets bei sich führt) ist alles dabei, was das Heldenherz begehrt. Und es kommt noch besser. Mit Schockfroster, Hypnose- und Magnetstrahler ist das Schusswaffenarsenal um drei weitere geniale Erfindungen gewachsen. Die wohl gemeinste Waffe ist allerdings der Weichspüler, der ist nur für absolute Notfälle gedacht. Mit ihm wird dem Gauner auf der Flucht der Asphalt unter den Füßen verflüssigt, um gleich darauf wieder zu erstarren. Zum Einsatz bei der Verbrecherjagd kommt außerdem der Phantorang. Der Bumerang für Helden ist unfehlbar und hat bisher noch jeden Gauner ausgeknockt. Des Weiteren sorgt die fliegende Faust in Schurkenkreisen für flaue Magengruben. Trifft sie doch (fast) immer ins Schwarze.

Ihr seht, liebe Leser, Phantomias ist gut gerüstet für den Einsatz in der Nacht. Und so sei es ihm auch verziehen, dass hier und da Donalds sagenumwobenes Pech aufblitzt. Oder wie kann man es sonst erklären, dass ein Held wie Phantomias in der Superversion X des 313 immer wieder den Knopf für den Schleudersitz mit der Hupe verwechselt? Aber das bleibt unser Geheimnis. Und jetzt genug der Worte. Folgen wir Donalds Helden-Alter-Ego ins Abenteuer!

Telelasso

Hypnosestrahler

Weichspüler

Phantorang

Bruno Concina (Story),
Blasco Pisapia & **Guglielmo Venturini** (Zeichnungen)

Dieses Geräusch hat mit Weihnachten herzlich wenig zu tun!

Das war das Knacken eines Sicherheitsschlosses!

Und hopp!
Im Großstadt-dschungel gib es zwar keine Lianen...

...aber die hat ein Phantomias auch nicht nötig. Als moderner Superheld ist man flexibel.
WITSCH

Aha! Benni das Brecheisen bei der Arbeit!
Phantomias!
JUWELIER
STAPF

Gratuliere, Benni, du bist ein Glückspilz!
JUWELIE
Wieso das denn?

Weil die Knastküche dieses Jahr etwas Besonderes zum Fest serviert! Ente mit Preiselbeeren!

Ich bin Vegetarier! Ich mag kein Geflügel. Enten sind auch Menschen.

Schluchz! Jetzt verpasse ich den Gurkenauflauf zu Hause!

Bitte, Phantomias, lass Gnade vor Recht ergehen! Dieses eine Mal!

Nun, auch ein Superheld zeigt sich gelegentlich vom Geist der Weihnacht beseelt...
Vielen Dank, Phantomias!
Ich will, dass es neuer als neu aussieht! Und dann hinfort!

JUWELIER
UHREN
In Zukunft gibt es kein Pardon mehr! Also lass dich nicht noch einmal erwischen!
Nicht vor Weihnachten, das steht fest!

Wir sehen uns dann nach den Feiertagen wieder! Frohes Fest! **Oh!**
VRRR
VRRRR

Da hat wohl jemand Probleme mit seinem Wagen. Vielleicht kann ich helfen?
VRRR
VRRRR
SPROING

M KUCKUCK
Phantomias!
Alf, du alter Autodieb! Du kannst es einfach nicht lassen, wie?

Dabei hat der Halunke überhaupt kein Händchen für Technik. Die totale Fehlbesetzung für diesen Job!

Schnauf!
Gib lieber gleich auf, Alf! Ich kriege dich, wie jedes Jahr!

Was sage ich da? Wie jedes Jahr?

Hm... ja, das stimmt! Er hat die letzten zehn Weihnachten im Knast gefeiert.

Ich bringe es nicht übers Herz. Ich tue so, als würde ich ihn nicht sehen.

Dann...
Mach schon, Phantomias! Nimm ihn fest!
Warte! Es ist doch nur, weil meine Omi unbedingt in die Berge fahren will.
Und dafür ein Überfall?
MUSIKHAUS MÜRRISCH

Nein, ich wollte nur die Rate für meine Glotze gestundet kriegen.
Mit der Knarre in der Hand?

Dumme alte Gewohnheit! Es ist ja nur ein Spielzeug.
Trotzdem bleibt der Tatbestand der Nötigung!
WASSER 58

Ich verziehe mich! Ich habe keine Zeit für hohles Gewäsch!

Unsympathischer Kerl, was?
Ja, aber das ist keine Entschuldigung!

Und meine Omi? Und die Weihnachtsgeschenke? Drück doch ein Auge zu, Phantomias!
Also, meinetwegen!
Aber bleibe mir ja sauber!
Garantiert! Ich nehme sogar ein Bad!
Wer's glaubt! Aber bis nach Weihnachten wird der Bursche wohl Ruhe geben.
Eisdiele
VROMM
So nachsichtig war ich noch nie! Ich kann nur hoffen, dass sich das nicht rächt.
DONALD DUCK
Doch leider, schon in der nächsten Nacht...
Hrmpf!

Möchtest du mir das erklären?
JUWELIER
Na ja, ich habe es echt versucht! Aber du weißt ja, wenn der Magen knurrt...
KNIRSCH

Apropos... was ist das denn?
Meine Brotzeit. Ein Schinkensandwich.

Von wegen Vegetarier! Allein für diese Lüge buchte ich dich ein!

Bald...
Genug ist genug, Alf! Ich fürchte, du verbringst Weihnachten mal wieder im Bau!

Das bin ich gewohnt. Ich hoffe nur, es gibt Heiligabend nicht wieder Ente mit Preiselbeeren!
Oh!

Der Koch ist klasse, aber Ente ohne Ende nervt mit der Zeit!

'oanders...
Kein Phantomias weit und breit, hehe! Diesmal habe ich das Huhn nach allen Regeln der Kunst gerupft!

Oha!
Und dafür haue ich dich in die Pfanne!

Komm, zum Knast geht es da lang!
Pöh!

Einiges später...
Seit Stunden latscht Onkel Donald schon hin und her.
Und her und hin.
TRAPP TRAPP TRAPP
DONALD DUCK

Beeilung!
Die Schule wartet nicht!
Ich weiß!

Alles in Ordnung, Onkel Donald?

Ja, ich habe nur nicht geschlafen!

Der Arme!
Mach dir keine Sorgen! Dafür verpennt er den Rest des Tages!

lsch.
Zum ersten Mal kommen mir gewisse Zweifel an meiner Rolle als Rächer.

Die Gauner klauen und ich bringe sie in den Knast. So ist die Regel.
Aber Weihnachten ist anders. Es ist das Fest der Liebe und Güte. Da müsste man doch... hm...
HOTEL
Hurra! Das ist die Idee!
Endlich schla... **zipfüü...**

Und in der Nacht...
Verehrte Übeltäter von Entenhausen!
Was?
Wie?

Hier spricht Phantomias!
Wer?
Wo?
ELIER

Ich erwarte euch alle umgehend...
BANK

...auf dem Marktplatz!
?

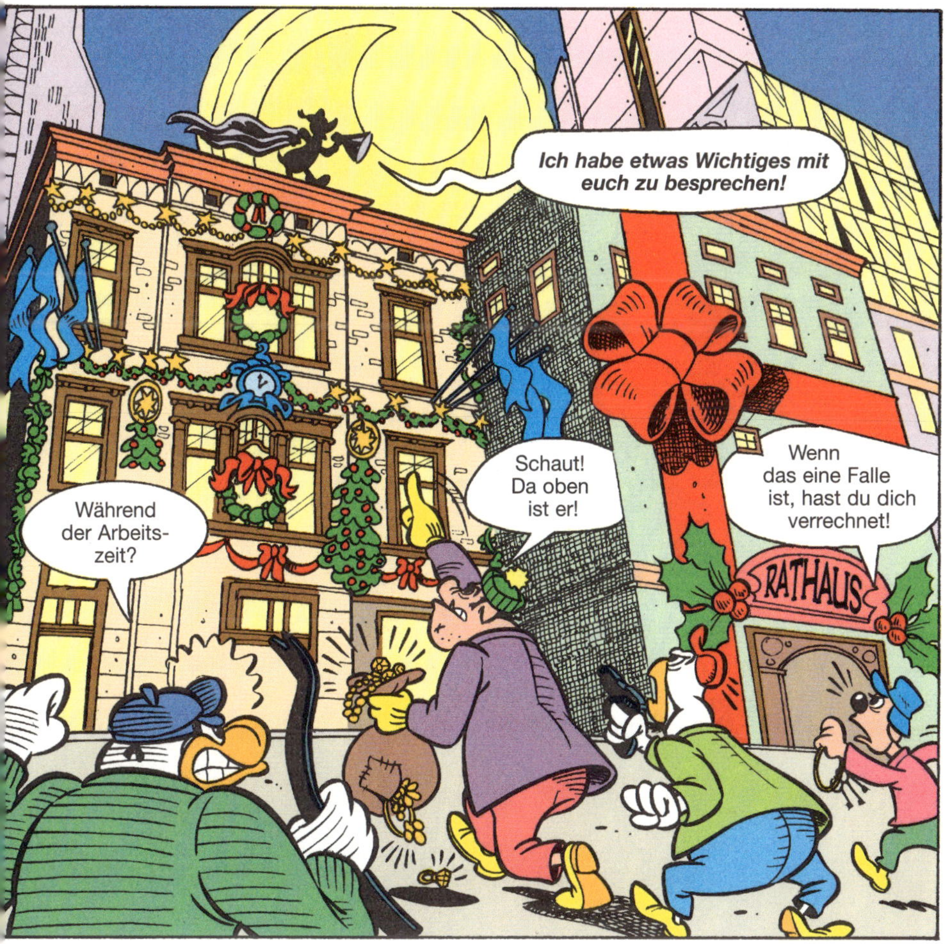

Ich habe etwas Wichtiges mit euch zu besprechen!

Während der Arbeits-zeit?

Schaut! Da oben ist er!

RATHAUS

Wenn das eine Falle ist, hast du dich verrechnet!

Ich komme runter, dann brüllt es sich leiser!
SWUSCH
Netter Hüpfer!
Pfah! Der will doch bloß angeben!
Hallo, Franky! Wir haben uns lange nicht mehr gesehen, stimmt's?
Urlaub auf Staatskosten, Mann.
PFUMP
Hübsche Verkleidung, Wandler!
Wenn du das sagst, freut es mich.
Und jetzt?
Was heißt Waffenstillstand?
Raus damit, wir sind in Eile!

Na ja, es ist Weihnachten und
keiner von euch will das Fest im
Gefängnis feiern.

Wenn ihr euch eine Woche lang
ruhig verhaltet, werde ich das
auch tun!

Ich drücke bei meiner Patrouille beide
Augen zu...
...und lasse die Fahndungs-
liste in der Tasche.

Was meint ihr?
Hübsche Idee,
Phantomias!
Ein friedvolles
Fest, keine Beute
schleppen...
Darauf gibt es nur
eine Antwort...

NEIN
Du gibst den Helden als Hobby...
...aber wir sind Berufsganoven!
Wovon leben wir, wenn wir nicht arbeiten?
Ich habe eine sehr teure Verlobte!
Ich eine große Familie!
Genau!

Daran habe ich nicht gedacht.
Das kann vorkommen. Aber jetzt müssen wir gehen!
Ich muss zurück an mein Sicherheitsschloss!
Ich an meinen Tresor!
Augenblick, bitte!
Mir ist eben eine geniale Idee gekommen!
Die wäre?
Bis morgen Nacht lasse ich mir einen Ersatz für ausgefallene Einbrüche einfallen!
Was denkt ihr?
Na ja, immerhin ist Weihnachten. Wir sollten Phantomias eine Chance geben!

Stunden später...
Verzwickt, das Problem.
Und Phantomias will, dass du ihm dabei hilfst?
MAHNUNG
2. MAHNUNG
DONALD DUCK

Der Ärmste!
Er muss ziemlich verzweifelt sein, hihi!

Kluge Sprüche könnt ihr klopfen, aber für eine Idee reicht es nicht, was?

Du hast ja recht, Onkel Donald!
Aber was für Jobs drehst du Gaunern an, die aus Gewohnheit alles abgreifen?

Natürlich welche, bei denen sie genau das nicht tun können!

nd
her...
Ich bin doch recht überrascht über Ihr Ansinnen, Herr Duck.
JUWELI

Aber wenn Phantomias für alles garantiert, meinetwegen!
Hurra!
KLACK

Ist sich Phantomias wirklich sicher?
Absolut!
BANK

Und er behält sie auch im Auge?
Sie haben sein Wort darauf!

Was für eine wunderbare Idee, Herr Duck! So ganz und gar weihnachtlich!
Frohes Fest!
SPIELWAREN

Dann, zur vereinbarten Stunde...
Nun, was meint ihr?
Augenblick, Phantomias! Die Jungs haben mich zum Sprecher gewählt.
SOCKEN

Du sprichst für alle?
Genau. Und wir sagen...

Du hast sie nicht mehr alle!
TOCK
TOCK

Geschäfte sollen wir bewachen?
Das ist gegen unsere Ehre! Was wäre, wenn...

...man von dir verlangen würde zu klauen?
– – –

Gehen wir wieder an die Arbeit, Jungs!
Nimm es nicht persönlich, Phantomias!

Nun seid nicht so, Freunde! Gebt mir noch eine Chance!

Was hältst du davon?
Na ja, immerhin meint er es gut, oder?

Ich habe ein schlechtes Gewissen.
Wo er sich immer so rührend um uns kümmert!

Also gut! Heute Nacht verhalten wir uns ruhig!
Morgen treffen wir uns dann im Hauptquartier!

Und wieder wird Familienrat gehalten...
Schade, dass es nicht hingehauen hat.
Ja, aber so schnell gebe ich mich nicht geschlagen!

Mir fällt bestimmt noch etwas Neues ein!
Etwas Besseres aber!

Glaubt ihr, das ist leicht für mich? Ideen sind nicht mein täglich Brot!

Geraume Zeit später...
Viel Erfolg, Onkel Donald!
Bestimmt! Diesmal wird Phantomias mit mir zufrieden sein.

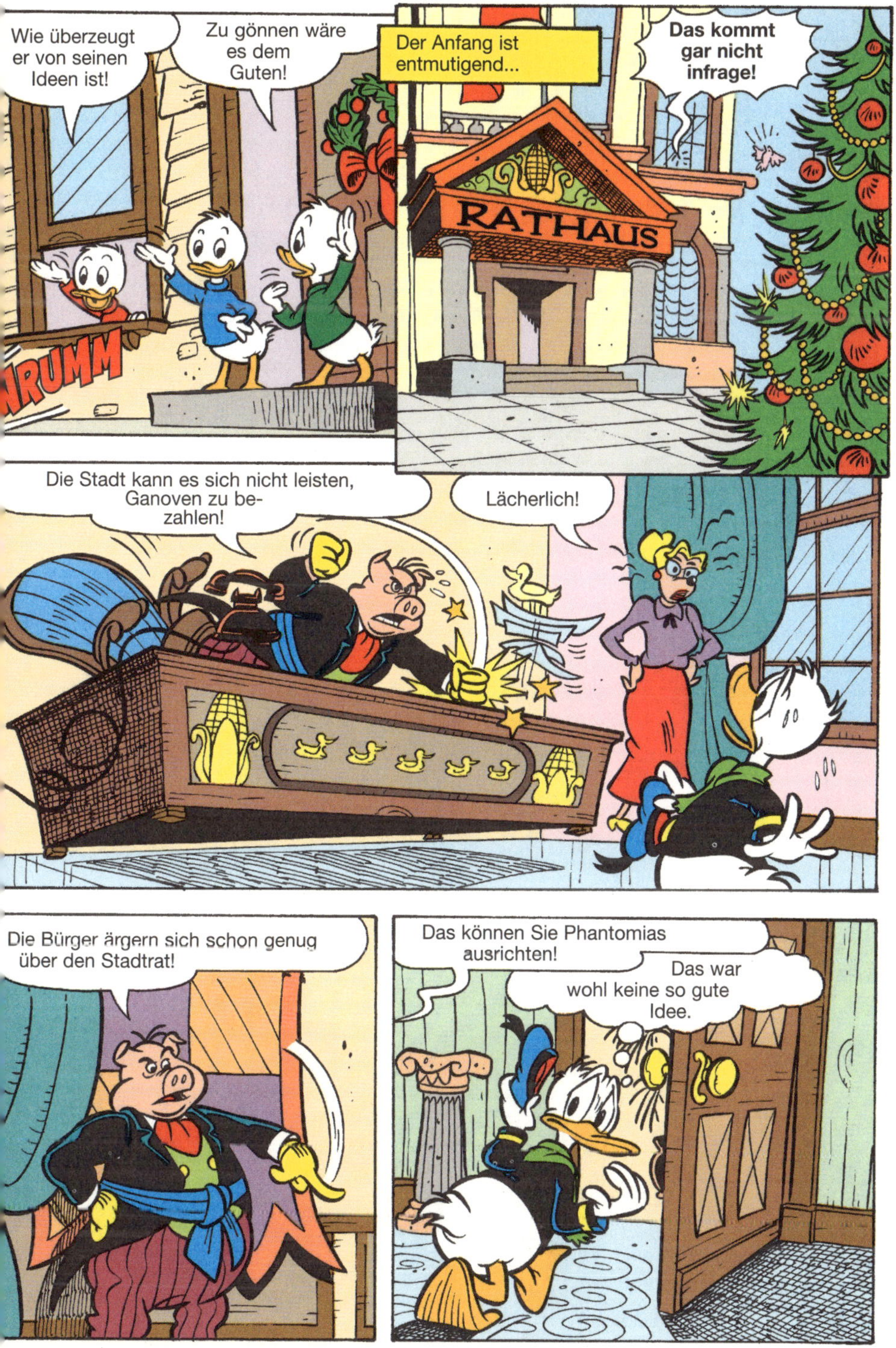

Wie überzeugt er von seinen Ideen ist!

Zu gönnen wäre es dem Guten!

Der Anfang ist entmutigend...

RATHAUS

Das kommt gar nicht infrage!

Die Stadt kann es sich nicht leisten, Ganoven zu bezahlen!

Lächerlich!

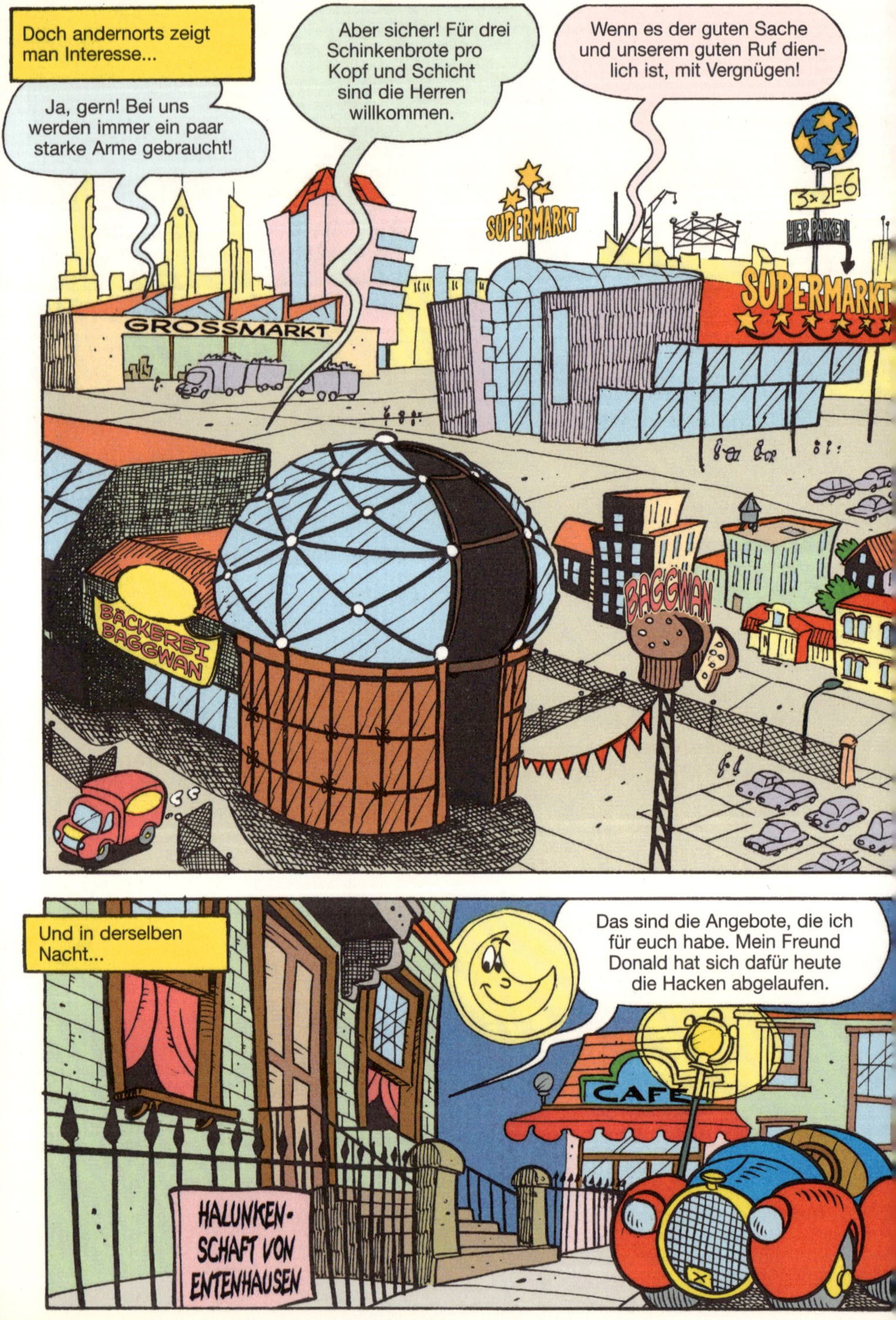

Doch andernorts zeigt man Interesse...
Ja, gern! Bei uns werden immer ein paar starke Arme gebraucht!
Aber sicher! Für drei Schinkenbrote pro Kopf und Schicht sind die Herren willkommen.
Wenn es der guten Sache und unserem guten Ruf dienlich ist, mit Vergnügen!
GROSSMARKT
SUPERMARKT
3×2=6
HIER PARKEN!
SUPERMARKT
BÄCKEREI BAGGWAN
BAGGWAN

Also?
Toller Einsatz, Phantomias!
Sehr edel und selbstlos!
Unsere Antwort lautet...
NEIN
HALUNKEN-
Sieh dir meine Hände an! Das hochsensible Werkzeug des besten Einbrechers der Stadt, mit Verlaub.
„Wenn ich damit auf dem Großmarkt schufte..."
„...kann ich mein Handwerks-zeug gleich vergessen."

Ich würde gern den Weihnachtsmann im Supermarkt machen, Phantomias! Ich...

„...liebe Kinder, aber..."

...ich bin zu klein!
Ich zu groß!
Und wenn sie mich sehen, trifft sie der Schlag!

Die Großbäckerei ist nichts für uns!
Unsereins backt leider...
...nur kleine Brötchen!

Also wieder nichts. Ich gebe mich geschlagen.

Nein, Phantomias! Du hast eine dritte Chance verdient!
!

Ich verspreche dir, dass wir auch heute Nacht still halten werden!
Danke!

Was soll das? Du bist viel zu weichherzig!
Ich spiele nicht mehr mit, Mann!
Heißt?

Dass ich heute Nacht meine Runde mache! Einwände?

Genügt das?
Doch. Danke. Ich nehme heute frei. Mir ist nicht ganz gut, nein.

Am nächsten Morgen...
Gähn... An die Arbeit! Das ist die letzte Möglichkeit!
Leise!
Es läuft gerade eine Sondersendung!

Die Einbruchserie hat ganz Entenhausen in Aufruhr versetzt.

Zwei Banken, drei Juweliere und zwölf Privathäuser.

Ausgeplündert, während Phantomias wohl schlief!
ETV

Und ich glaube an die Ganovenehre, ich Schaf!

Der kocht vor Wut!
WRUMM

Schluss mit der weihnachtsseligen Sanftmut! Ab sofort wird geholzt!

Die Halunken werden ihr blau kariertes Wunder erleben!
WUPP
BREMS

Wir haben dich erwartet, Phantomias!

Die Sache ist ernst! Deshalb ist **er** gekommen!
Der große Pate!
Jawohl, Phantomias!

Damit habe ich nicht gerechnet!

Ja, seit Jahren versuchst du vergeblich, mich zu entlarven!

Bis heute!
Das bringt dich nicht weiter, mein Freund!

Was siehst du? Eine Perücke über einer zweiten Perücke?
ZIPP
ZAPP

Normale Stiefel? Mit Einlagen? Bin ich groß oder vielleicht eher klein?

Ist der Bart echt oder falsch? Bin ich Männlein oder Weiblein?
Ja, schon gut. Wenden wir uns den wichtigen Dingen zu!

Eben! Ich gebe dir mein Wort als Chef-schurke, dass wir so unschuldig sind wie ein Lamm.

Das bedeutet...
Ein Fremder!
SCHNIPP

Einer, der von unserem Waffenstillstand Wind bekommen hat...
...und die Lage schamlos ausnutzt!
Den kaufen wir uns!

Noch mal wagt er es nicht. Viel zu riskant!
Er wird zu-sehen, dass er wegkommt!
Weil er weiß, dass wir es wissen!
Aber wir wissen, dass er weiß, dass wir es wissen!
?

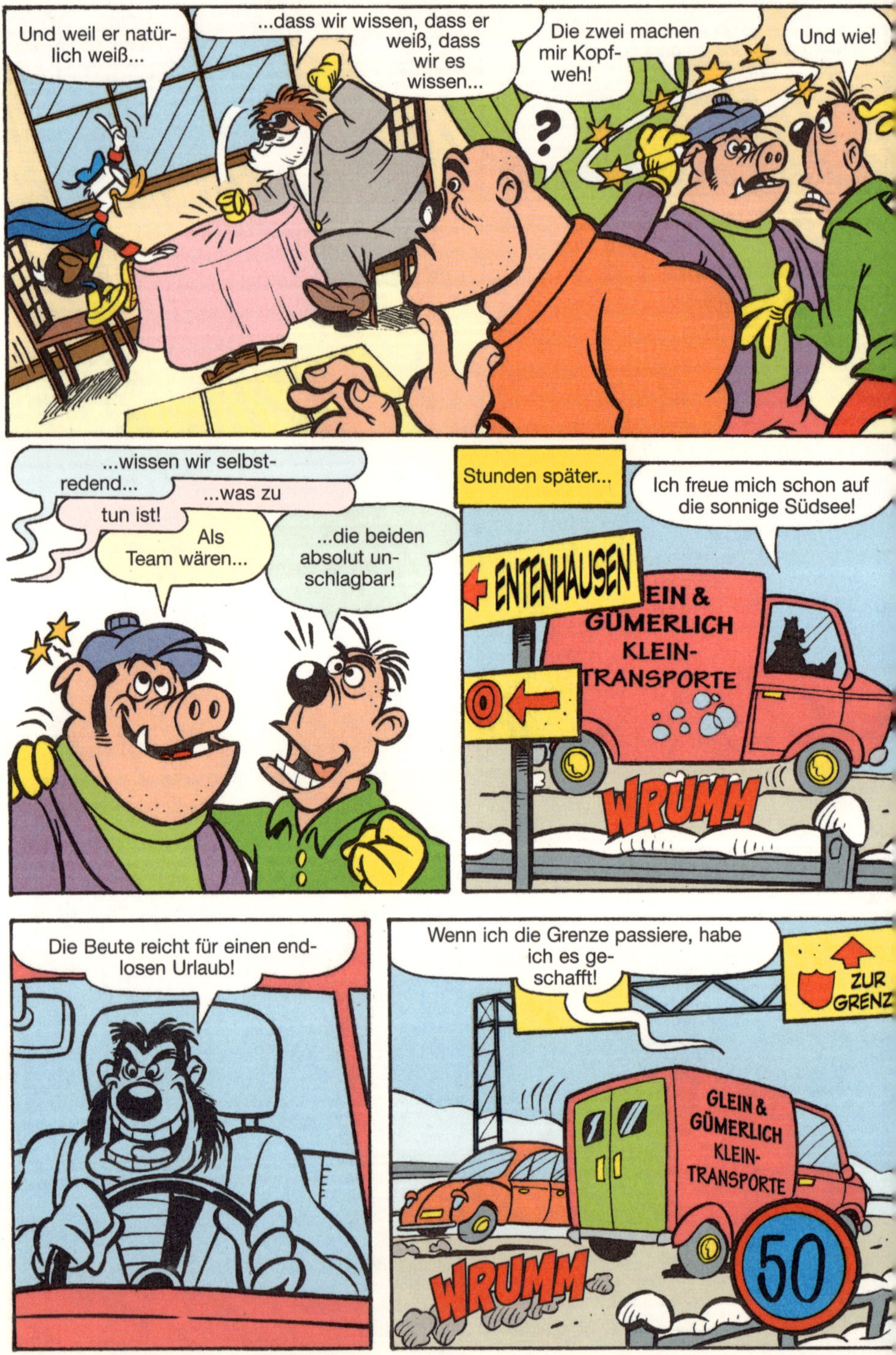

Und weil er natürlich weiß...
...dass wir wissen, dass er weiß, dass wir es wissen...
Die zwei machen mir Kopfweh!
Und wie!
?

...wissen wir selbstredend...
...was zu tun ist!
Als Team wären...
...die beiden absolut unschlagbar!

Stunden später...
Ich freue mich schon auf die sonnige Südsee!
ENTENHAUSEN
...EIN & GÜMERLICH KLEIN-TRANSPORTE
WRUMM

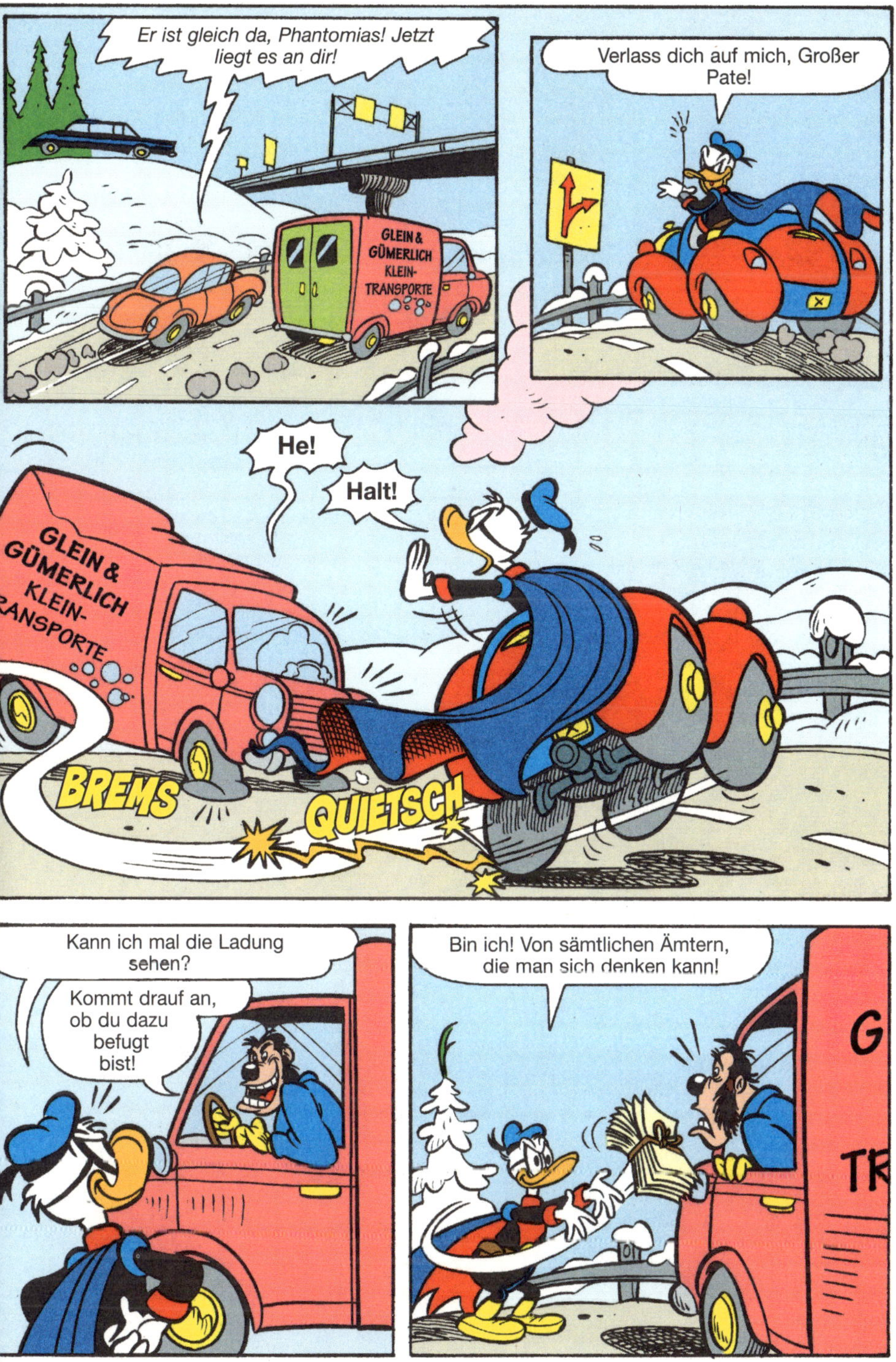

Er ist gleich da, Phantomias! Jetzt liegt es an dir!
GLEIN & GÜMERLICH KLEIN-TRANSPORTE
Verlass dich auf mich, Großer Pate!
He!
Halt!
GLEIN & GÜMERLICH KLEIN-TRANSPORTE
BREMS
QUIETSCH

Deshalb...
Na bitte, da hatte ich doch den richtigen Riecher.
Wie bist du mir auf die Schliche gekommen?
ORTE

Nun, meine Freunde und ich haben uns ein paar Gedanken gemacht.

Wir dachten, ein Pkw ist zu klein für die Beute, ein Lkw zu groß, also muss es ein Lieferwagen sein!
Pah!

Warum meiner? Hier sind heute sicher viele Lieferwagen vorbeigekommen!

Massenhaft! Aber du warst der Einzige, der sich an die Geschwindigkeitsbegrenzung gehalten hat, um keinen Ärger zu kriegen!
Was?

cht lange
nach...
Das wäre erledigt! Wollt ihr nun meine neueste Idee hören?
Nur raus damit!
POST

Ich bin gespannt, welche Jobs du meinen Jungs diesmal andrehen willst.

Ganz einfach! Sie sollen ein paar Ladengeschäfte bewachen.

Setzt's bei dir aus?
TOCK
Das haben wir abgelehnt!
Blah!
Warum kommst du darauf zurück? Doch nicht aus schierer Sturheit, oder?

Wo werd ich! Aber die Sache hat sich herumgesprochen...

...und bestimmt kommen noch weitere Ganoven nach Entenhausen!
Was?
Stimmt!

Ihr müsst eure künftige Beute schützen!
Er hat recht!
Also, worauf warten wir? An die Arbeit, Kameraden!

Und jetzt zu uns beiden! Höchste Zeit, dass du mir dein wahres Gesicht zeigst, Pate!

Uack?
Frohes Fest, Phantomias!

Endlich kommt das Fest der Feste...
Hehe! Phantomias ist ein Genie! So gut aufgehoben habe ich mich noch nie gefühlt!
JUWELIE
...Weihnachten!
Gauner und Ladenbesitzer verstehen sich prächtig.
Da hat Phantomias eine tolle Idee gehabt!
Fast zu prächtig!
WROMM
Ich hoffe, das wird nicht zur Gewohnheit, sonst wäre das für...
...Phantomias unter Umständen das...
ENDE

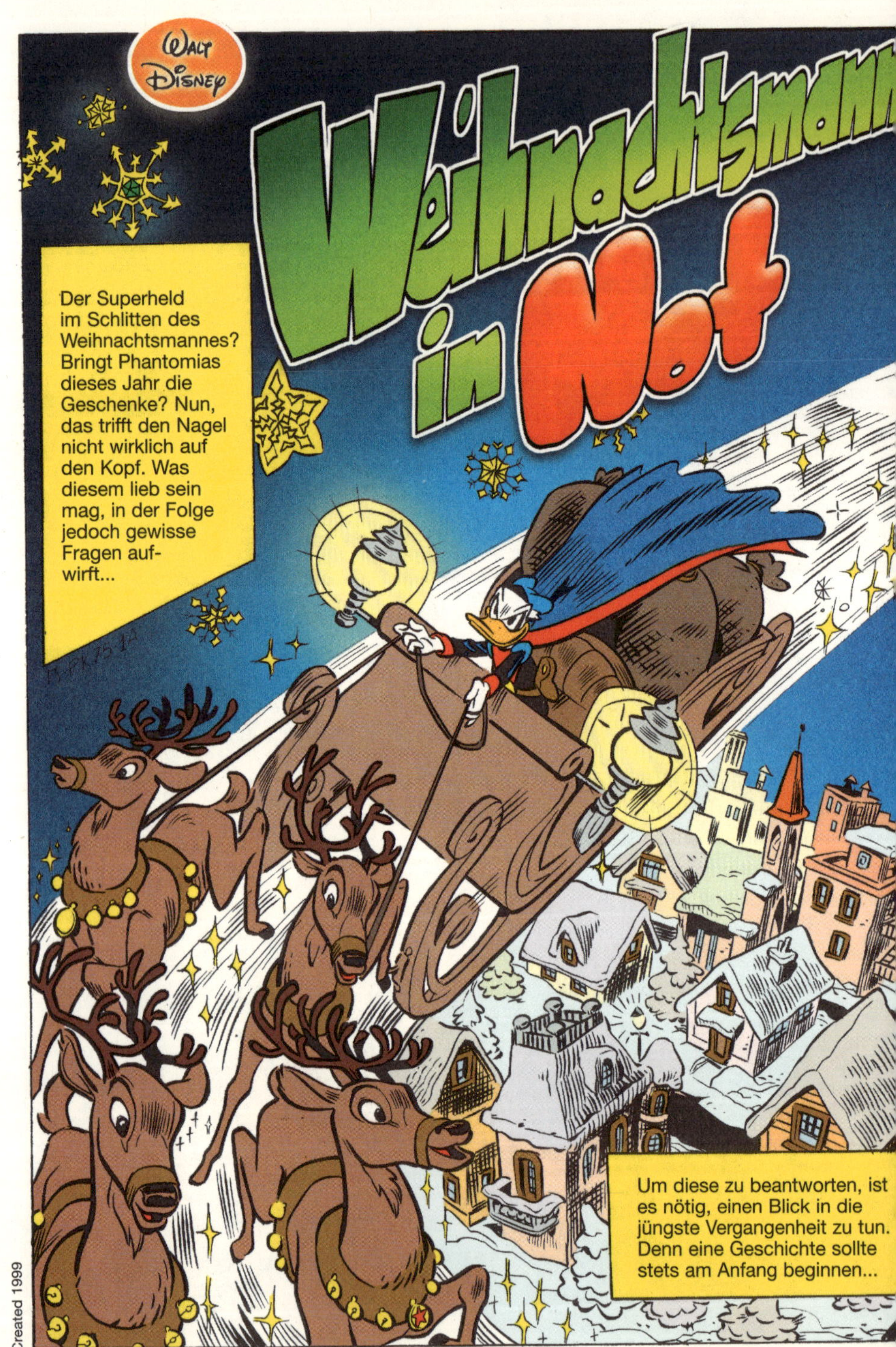

Created 1999

Sergio Tulipano (Story), **Lorenzo Chiavini** & **Blasco Pisapia** (Zeichnungen)

Ich bin so gut wie fertig, Jungs! Wie sieht es bei euch aus?
DONALD DUCK
Bestens würde ich sagen. Es sei denn, das Kunstwerk kollabiert unter dem Weihnachtsstern.
Wir haben uns diesmal besondere Mühe gegeben. Gefällt dir der Baum, Onkel Donald?
Und wie! So prächtig war er noch nie!

Da wird die Familie morgen Augen machen. Bis auf Onkel Dagobert, der macht einen Aufstand, von wegen Verschwendung und so.

Vor allem wenn er all die Geschenkpakete unter dem Baum sieht. Er sieht doch welche, oder?
Sicher!

Aber darum kümmere ich mich erst vor dem Schlafengehen, Jungs.
Moment mal! Heißt das, du hast die Geschenke?
Du ziehst nicht später noch mal los?

Nein, es ist alles im Haus, um die Lieben gebührend zu beglücken.
Unglaublich!
Was ist denn in dich gefahren, Onkel Donald?

Sonst bist du immer kurz vor Ladenschluss in irgendwelche Kaufhäuser eingefallen.
Ich weiß.

Das zehrt an den Nerven, die mit dem Alter nicht besser werden. Also habe ich mich dieses Jahr eher besonnen.
Respekt!

Aber vergiss bitte nicht, unter dem Baum ein bisschen Platz zu lassen für die Geschenke, die heute Nacht noch heimlich geliefert werden!
Daran habe ich natürlich gedacht.

Der Weihnachtsmann wird gewiss keinen Grund haben, unverrichteter Dinge wieder abzuziehen.
Genau das wollten wir hören! Gute Nacht, Onkel Donald, schlaf schön!

Lieb gemeint, aber an Schlaf ist vorerst nicht zu denken. Ich habe noch das ein oder andere Päckchen zu packen.

Wobei es eigentlich gar nicht mehr so viele sind. Das für Oma ist fertig...
...und Onkel Dagobert und Dussel sind auch bereits bedient.

Ich brauche nur noch Herrn Düsentriebs Buch einen schmucken Einband zu verpassen.
RITSCH
RATSCH
GENIE & WAHNSINN
Und dieses Fläschchen will stilvoll verhüllt sein.
Das ist Daisys Lieblingsparfüm! Selten und teuer und darum ein besonderer Grund zur Freude!
Augenblick! Das darf doch nicht wahr sein!
Schanell Nummer sechs? Ich dachte, davon gibt es nur fünf?
Katastrophe! Ich habe mich offenbar vergriffen! Das wird mir Daisy nie verzeihen!
Und jetzt ist es zu spät, um das Teil noch umzutauschen! Oder doch nicht, wenn man es sportlich nimmt?
Das Kaufhaus, in dem ich das Parfüm besorgt habe, macht in zwanzig Minuten zu.
Wenn ich mich spute...

Unfug! Das führt doch zu nichts! Der Laden ist ganz auf der anderen Seite von Entenhausen.
BREMS

Und die Straßen sind völlig vereist. Die Rutschpartie kann ich mir schlankweg sparen.

Es sei denn... ja, das wäre denkbar!

Die Jungs schlummern in aller Unschuld, wie es sich für minderjährige Zöglinge um diese Zeit geziemt.
1. FC
SCHNIRCH

Es spricht also nichts dagegen, dass ich einen lieben Freund um einen Gefallen bitte.

Ein wenig unangenehm ist es mir zwar, ihm mit einer so persönlichen Sache zu kommen.

Aber er ist nun mal der Einzige, der es noch quer durch die Stadt schaffen kann, bevor das Kaufhaus schließt.

Gut, die Luft ist rein!
Kein Mensch unterwegs.
DONALD DUCK

Die sind zum Glück alle mit den Vorbereitungen für das Fest der Liebe beschäftigt.

Das Schöne an einem fliegenden Auto ist, dass man garantiert nie in einen Stau gerät.
VRUMM

Ich freue mich schon auf das Gesicht der Verkäuferin, wenn ich plötzlich als gewöhnlicher Kunde vor ihr stehe!

Aber warum nicht? Auch Phantomias feiert Weihnachten, wie jeder brave Bürger.
Da wären wir! Und es ist noch reichlich Zeit bis Ladenschluss.
Herrje!
Gerechter Strohsack!

Wo kommt der plötzlich her, aus heiterem Himmel? Vielleicht kann ich noch im letzten Moment...
Nein, zu spät! Umpf! Wer rechnet denn auch mit Gegenverkehr, wo keiner sein kann!
ROMS
KLICK
Schnell die Schwebeschubdüsen eingeschaltet!
Geschafft, aber noch nicht erledigt!
Denn jetzt...

...heißt es, den Wagen abfangen. Und vor allem...
...diesen fliegenden Pechvogel!
KLICK
WOOOSCH
Saubere Arbeit!
Uff!
PLUMPS
Nun noch eine daunenweiche Landung, dann ist das Schlimmste überstanden.
KLICK
BIPP

Ich hoffe nur, dieses seltsame Vehikel schmiert nicht ab, bevor ich...
Nein, es sieht so aus, als würde sich das Problem von selbst lösen. Umso besser.
Aufgefangen ist alles, jetzt gibt es nur noch etwas zu halten.
MEGA-MARKT
Äh... hallo, Phantomias!
Nämlich eine Standpauke, die sich gewaschen hat!
MEGA-MARKT

Was zum Kuckuck sollte das werden? Ein Reklameflug im Finstern, damit es auch ganz bestimmt keiner mitbekommt?
Oder drehen Sie hier eine Schmierenkomödie?
Was?
Nein, ich bin kein Schauspieler! Meine Arbeit ist, äh... ein wenig anders als andere.
Sie führt mich einmal im Jahr rund um die Welt in einer einzigen Nacht. Und genau heute ist diese Nacht!
!
Wollen Sie damit etwa allen Ernstes sagen, Sie sind der...
...Weihnachtsmann! Richtig! Und in diesem Jahr habe ich beschlossen, meine Reise in Entenhausen zu beginnen!
Leider habe ich vor lauter Vorfreude nicht mehr daran gedacht, dass du um diese Zeit am Himmel über der Stadt deine Runde drehst. Sonst hätte ich die Augen offen gehalten und der Schlamassel wäre nicht passiert!
Nicht doch! Eigentlich ist es meine Schuld! Ich habe nicht aufgepasst weil ich so in Eile war!
MEGA-MARKT

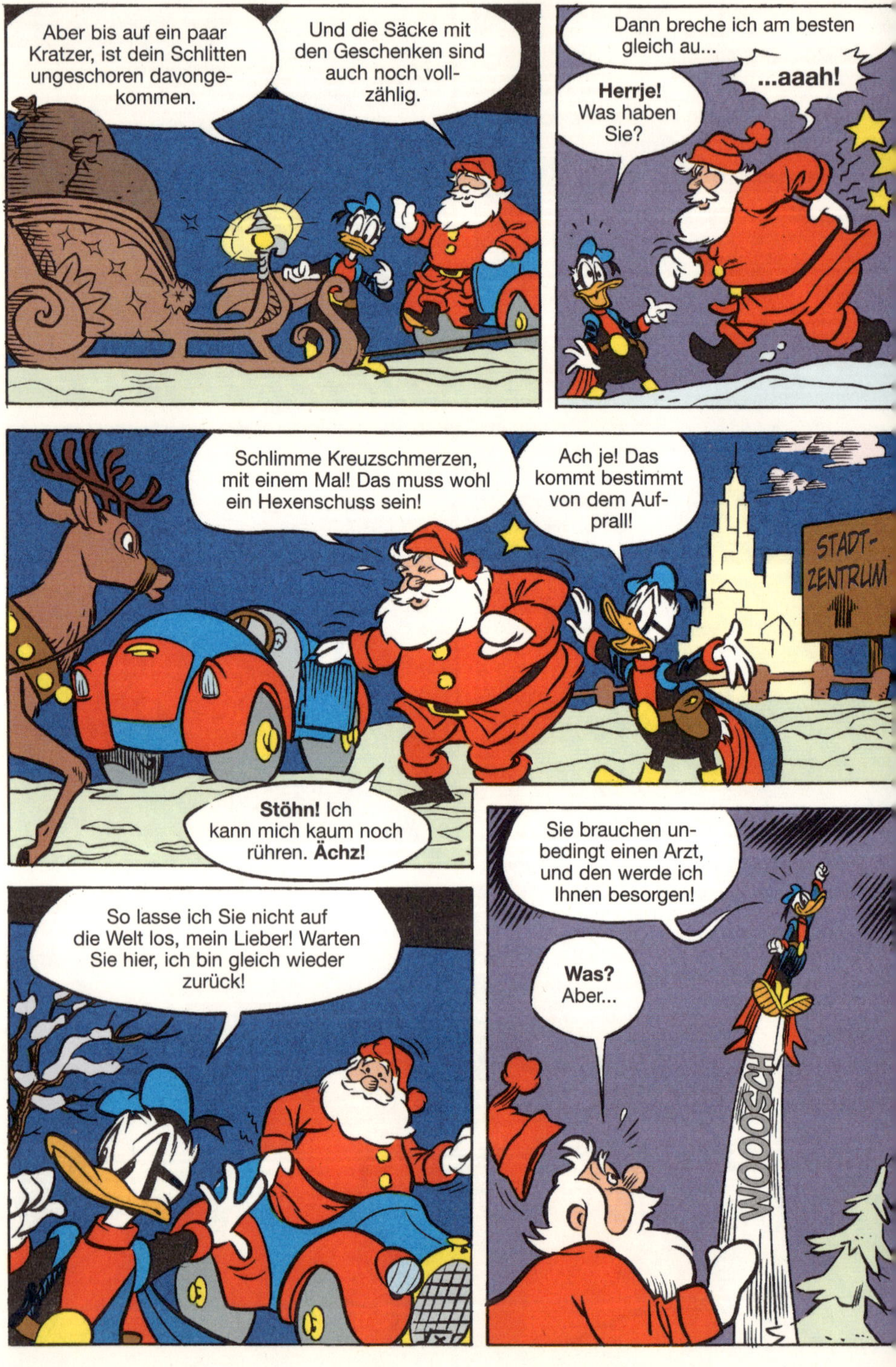

Schlimme Kreuzschmerzen, mit einem Mal! Das muss wohl ein Hexenschuss sein!

Ach je! Das kommt bestimmt von dem Aufprall!

STADT-ZENTRUM

Stöhn! Ich kann mich kaum noch rühren. **Ächz!**

So lasse ich Sie nicht auf die Welt los, mein Lieber! Warten Sie hier, ich bin gleich wieder zurück!

Sie brauchen unbedingt einen Arzt, und den werde ich Ihnen besorgen!

Was? Aber...

WOOOOSCH

Ich weiß schon, an wen ich mich wende. Ein ehemaliger Mediziner, der auf die schiefe Bahn geraten ist. Aber er hat bestimmt Zeit und er kann ein Geheimnis für sich behalten.

Zudem wird er mir den Gefallen nicht abschlagen, weil er mir noch etwas schuldig ist.
DING DONG
Hat man hier nie seine Ruhe?

Ich bitte Sie, Doktor! Ist es nicht die vornehmste Pflicht des Arztes, allzeit bereit zu sein, um die Nöte der Leidenden zu lindern?
Phantomias? Was willst du von mir?

Ihren fachmännischen Beistand für einen Freund! Also werfen Sie sich etwas Warmes über und kommen Sie mit!
Ich wollte eben ins Bett!

Muss ich Sie daran erinnern, wie ich beide Augen zugedrückt habe, als wir uns das letzte Mal begegnet sind?
Nicht nötig. Ich habe ärgerlicherweise ein gutes Gedächtnis.

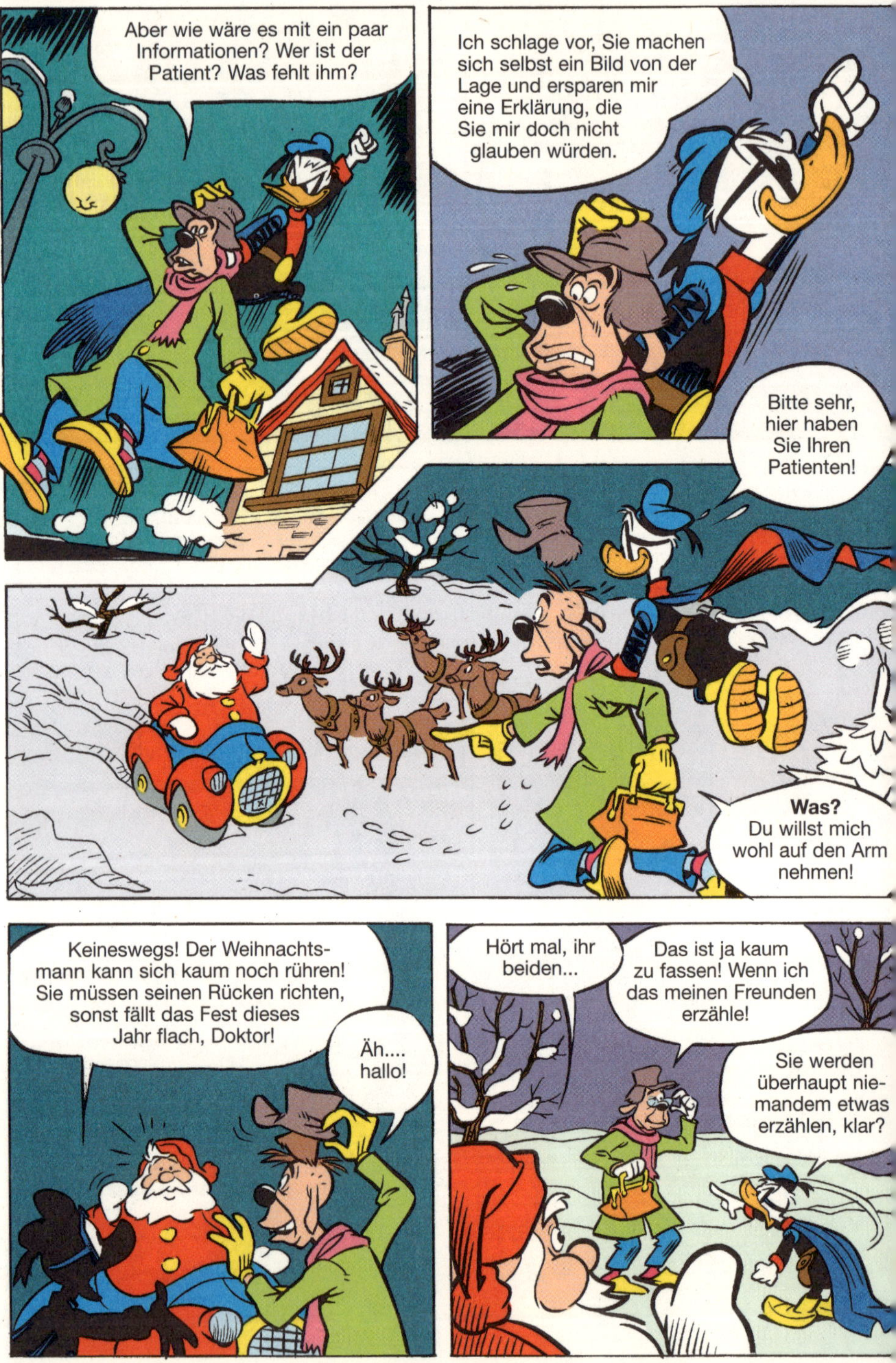

Aber wie wäre es mit ein paar Informationen? Wer ist der Patient? Was fehlt ihm?

Ich schlage vor, Sie machen sich selbst ein Bild von der Lage und ersparen mir eine Erklärung, die Sie mir doch nicht glauben würden.

Bitte sehr, hier haben Sie Ihren Patienten!

Was? Du willst mich wohl auf den Arm nehmen!

Aber das ist ein-
malig! Sensationell!
Wie kannst du mich
darum bitten...
Ich bitte nicht,
ich befehle!
Und damit
basta!
Also,
ich...

Zudem erinnere
ich daran, dass Sie
sich als Arzt an die
Schweigepflicht zu
halten haben!
Genau genommen
nicht, seit sie mir die
Zulassung entzogen
haben!
Ver-
zeihung!

Ich unterbreche nur ungern euren
freundschaftlichen Meinungsaustausch,
aber die Zeit drängt, und ich habe euch
etwas Wichtiges zu
sagen!
Mmpf!
Mmpf!

Ich habe es bereits vorhin versucht, aber
spontane Hilfsbereitschaft macht gelegentlich taub! Im Gegensatz zur
Wut, die macht bekanntlich
blind.
Ähem... Was
genau wollen Sie
mir sagen?

Dass ich der gewiss gut gemeinten fach-
lichen Zuwendung deines Freundes nicht
bedarf, Phantomias. Ich weiß genau, was
meinem Rücken wieder auf die Beine hilft!
Und was?

Eine wirkmächtige Lotion, die ich seit
eh und je verwende, wenn mich irgendein
Zipperlein plagt. Ihr habe ich es zu verdanken, dass ich trotz
der Belastungen meines
Berufes und meines be-
kanntermaßen biblischen
Alters noch immer
bestens beieinander
bin!

Eine einzige rhythmische Massage mit sanft kreisendem Schwung genügt...
Schon gut! Ersparen Sie mir die esoterischen Einzelheiten der Anwendung! Verraten Sie mir einfach, wie das Wundermittel heißt.
Dann besorge ich Ihnen eine Flasche in der nächsten Apotheke mit Nachtdienst.
Das wird leider nicht möglich sein, diese Lotion kann man nicht kaufen. Es existiert nur ein Fläschchen davon, und das befindet sich bei mir zu Hause.
Oh!
Aber im Moment fühle ich mich nicht dazu in der Lage, meinen Schlitten bis zum Nordpol zu lenken!
Verstehe.
Dann bringe ich Sie eben hin! Ich schnalle Sie mir auf den Rücken, und den Rest erledigt der Antigravitationsgürtel!
Aber was redest du denn da?
In seinem Zustand wäre eine so lange Reise die reinste Folter! Als Arzt rate ich nicht nur davon ab, ich verbiete es ausdrücklich!
Tja, ich fürchte, er hat recht, Phantomias.

☐ **selbst lesen** Bestell-Nr.: **177 9287** ☐ **verschenken** Bestell-Nr.: **177 9288**

Ja, ich möchte das LTB Ultimate Phantomias ab der nächsterreichbaren Ausgabe frei Haus zum Vorzugspreis von 59,70 € (D)/60,00 € (A)/113.40 Fr. (CH) (inkl. MwSt. und Versand) lesen; bei Sachprämien wird eine Zuzahlung von 1,00 € (D), 1,00 € (A), 1,00 Fr. (CH) erhoben. Ausgenommen sind Gutscheine und Bücher. Das LTB Ultimate Phantomias erscheint zzt. 6 x im Jahr. Die Prämie wird nach Zahlungseingang versendet, bei Bankeinzug sofort. Das Abonnement gilt zunächst für ein Jahr und verlängert sich automatisch um ein weiteres Jahr, wenn ich mich nicht 6 Wochen vor Bezugsende schriftlich beim Ehapa-Leserservice, 20080 Hamburg/Deutschland melde. Dieses Angebot gilt nur, solange der Vorrat reicht, Ersatzlieferung vorbehalten. Das Recht zur außerordentlichen Kündigung aus wichtigem Grund bleibt unberührt.

Als Geschenk wähle ich: (bitte nur 1 Kreuz setzen)

☐ **1. BUCH: „GUINNESS WORLD RECORDS 2019"** ☐ **2. AMAZON.DE-GUTSCHEIN, WERT: 15,– €**

Meine persönlichen Angaben: (bitte unbedingt ausfüllen)

Name / Vorname Geb.-Datum

Straße / Nummer PLZ Wohnort

Telefon-Nummer E-Mail-Adresse

Das Lustige Taschenbuch Ultimate Phantomias geht an: (bitte nur ausfüllen, wenn Sie das LTB verschenken möchten)

Name / Vorname des Beschenkten Geb.-Datum

Straße / Nummer PLZ Wohnort

Telefon-Nummer E-Mail-Adresse

☐ Die Belieferung soll frühestens am _ _ . _ _ . 2 0 _ _ beginnen (optional).

Ich zahle bequem per SEPA-Lastschrift* und erhalte eine Ausgabe GRATIS: (zzt. 59,70 € [D] / 60,00 € [A] /113.40 Fr. [CH])

BIC IBAN

Bankinstitut ☐ **Ich zahle per Rechnung.**

***SEPA-Lastschriftmandat:** Ich ermächtige die DPV Deutscher Pressevertrieb GmbH, Am Sandtorkai 74, 20457 Hamburg, Gläubiger-Identifikationsnummer DE77ZZZ00000004985, wiederkehrende Zahlungen von meinem Konto mittels Lastschrift einzuziehen. Zugleich weise ich mein Kreditinstitut an, die von der DPV Deutscher Pressevertrieb GmbH auf mein Konto gezogenen Lastschrift einzulösen. Die Mandatsreferenz wird mir separat mitgeteilt. **Hinweis:** Ich kann innerhalb von acht Wochen, beginnend mit dem Belastungsdatum, die Erstattung des belasteten Betrages verlangen. Es gelten dabei die mit meinem Kreditinstitut vereinbarten Bedingungen.

Widerrufsrecht: Sie können die Bestellung binnen 14 Tagen ohne Angabe von Gründen formlos widerrufen. Die Frist beginnt an dem Tag, an dem Sie die erste bestellte Ausgabe erhalten, nicht jedoch vor Erhalt einer Widerrufsbelehrung gemäß den Anforderungen von Art. 246a § 1 Abs. 2 Nr. 1 EGBGB. Zur Wahrung der Frist genügt bereits das rechtzeitige Absenden Ihres eindeutig erklärten Entschlusses, die Bestellung zu widerrufen. Sie können hierzu das Widerrufs-Muster aus Anlage 2 zu Art. 246a EGBGB nutzen. Der Widerruf ist zu richten an: Ehapa Leserservice, 20080 Hamburg, Deutschland, Telefon: +49 (0)30/99 19 46 80, Telefax: +49 (0)30/99 19 46 81, E-Mail: abo@egmont-service.de

Datum Unterschrift (bei Minderjährigen der gesetzliche Vertreter)

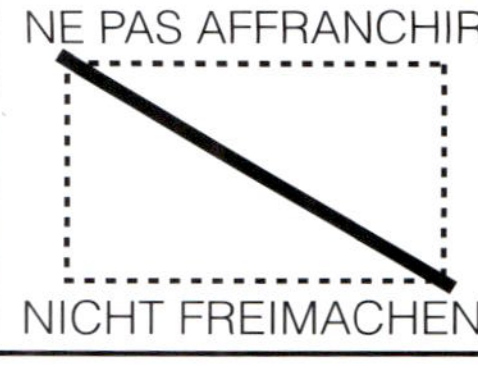

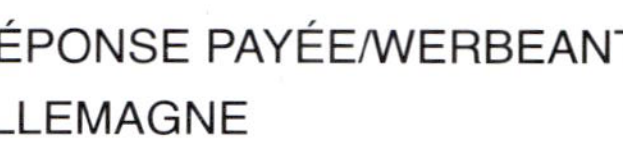

Egmont Ehapa Media GmbH
Leserservice
20080 Hamburg
Germany

SO GEHT'S:

- POSTKARTE AUSFÜLLEN UND ABSCHICKEN **ODER**
- ANRUFEN UNTER: +49 (0) 30-99 19 46 80 **ODER**
- PER MAIL AN: ABO@EGMONT-SERVICE.DE

Vertragspartner ist die Egmont Ehapa Media GmbH, Alte Jakobstr. 83, 10179 Berlin, Geschäftsführer: Klaus Thyge Hoeg-Hagensen.

Ich sehe nur die Möglichkeit, dass du dich alleine auf den Weg machst, um die Medizin zu holen!
Meinet-wegen, aber wie komme ich an den Nordpol?

Kein Problem! Meine Rentiere werden dich sicher und schnell ans Ziel bringen!
Oh! Aber...
...ich habe noch nie einen Schlitten gelenkt!

Das ist auch nicht nötig! Verlass dich ganz auf den Instinkt der Rentiere, dann kannst du nicht fehl-gehen!
Na gut, wenn das so ist!

Sie bleiben solange hier, Doktor, und leisten dem Weihnachtsmann Gesellschaft!
?

Ich bin so schnell wie möglich wieder zurück! **Hüa! Lauft zu, ihr Lieben!**
Aber...
Warte, Phantomias!
Voreilig wie immer! Das liegt wohl in seiner Natur!

Donnerschlag! Die legen sich aber mächtig ins Geschirr!
Ich kann nur hoffen, dass hier nicht irgendwelche verirrten Superhelden durch die Gegend schwirren!
Bei dem Tempo kann die Reise jedenfalls nicht lange dauern.
Wer sagt's denn? Schon sind wir da! Was für ein überwältigender Anblick.

?
?
Ich hüpfe gleich raus, Freunde!
Ihr geht schön landen und erwartet mich später vor dem Haupteingang!
Hoffentlich ist die Tür nicht verschlossen.
Sonst muss ich am Ende noch durch den Kamin einsteigen, wie der Herr des Hauses! **Hehe!**
Habt ihr das auch gehört?
Ja! Da draußen ist jemand!
Wer kann das sein?

Nanu? Was habt ihr Kinder denn hier zu suchen, mitten in der Nacht?
Solltet ihr um diese Zeit nicht brav zu Hause in euren Bettchen liegen?
Achte auf deine Worte! Wir sind keine Kinder! Wir sind Wichtel und die Gehilfen des Weihnachtsmannes!
Oh! Tut mir leid das wusste ich nicht!
Schon gut! Aber wer bist du?
Und was willst du bei uns, Fremder?
Euer Chef, der Weihnachtsmann, hat mich hergeschickt.

Der Ärmste hat sich nämlich einen Hexenschuss eingehandelt!
Ach je!
Wie geht es ihm?
Nicht besonders, leider! Deshalb hat er mich gebeten, ihm seine Medizin zu besorgen.
Ich gehe sie schnell holen.
Nichts da!
He? Was ist in euch gefahren?
PLUMPS
Wir sind nur vorsichtig! Woher sollen wir wissen, ob du die Wahrheit sagst?
Pah!
Genau! Warum sollten wir dir vertrauen?
Ihr seht doch, dass ich mit dem Schlitten des Weihnachtsmannes gekommen bin! Ist das nicht Beweis genug?
Nicht die Bohne! Den kannst du schließlich auch gestohlen haben!
Außerdem hast du dich noch nicht vorgestellt. Das ist nicht sehr höflich!

Stimmt! Also, mein Name ist Phantomias, auch genannt der maskierte Rächer, und ich bin Superheld von Beruf.
Oh!
Wirklich? Doch nicht etwa **der Phantomias?**
Der heldenhafte Hüter von Entenhausen?
Irgendwie schon. Ihr kenn mich?
Aber sicher! Es gibt wohl keinen Ort auf der Welt, wo man dich nicht kennt!
Nicht übertreiben! Sonst werde ich noch rot vor lauter Verlegenheit.
Aber zur Sache! Nachdem die Dinge nun geklärt sind, kann ich ja reingehen und...
Kannst du nicht!
Autsch! Was passt euch jetzt wieder nicht?
PLUMPS
Wer garantiert uns, dass du nicht in Wirklichkeit ein Hochstapler bist...
...und irgendwelche finsteren Machenschaften im Sinn hast?

Schluss mit dem Unsinn! Ich tue es nicht gerne, aber ich denke, es ist doch an der Zeit...
He?
PATSCH PATSCH
...dass ich meine körperliche Überlegenheit ins Feld führe!
Verrechne dich nicht! Wir Wichtel sind zwar nicht besonders groß gewachsen...
Ach ja?
...doch uns stehen magische Mächte zu Gebote, von denen du nicht einmal zu träumen wagst!
ZOSCH
Uack!

Da hängt der Held mit einem Mal ziemlich in der Luft, richtig?
Lasst mich sofort runter, ihr Giftzwerge!
Wie du willst. Aber ich hoffe, du hast verstanden, dass wir dich jederzeit kaltstellen können.
Ungh
PLOTZ
ZASCH
Das sehe ich nicht so! Beim Schockfrosten kommt es immer darauf an, wer schneller schießt! Also ich!
Keine Bange! Es tut nicht weh, und die Wirkung des Schockstrahlers lässt in ein paar Minuten ganz von selbst nach!
In der Zwischenzeit kann ich in aller Seelenruhe die Medizin einsammeln und mich unbelästigt aus dem Staub machen.

POCK
Augh!

Eine unsichtbare Wand! Das ist nicht die feine Art.

Es handelt sich um einen magischen Schutzschild, der sich automatisch aufbaut, wenn keiner von uns mehr in der Lage ist, das Heim des Weihnachtsmannes zu hüten!
Ich kenne einen, der dafür ein Vermögen hinblättern würde.

Das System ist unverkäuflich! Ein Geschenk der Waldfee an den Weihnachtsmann.
Egal. Ich habe jedenfalls keine Lust mehr, mich noch länger mit euch herumzuschlagen!

Ich erkläre dem Weihnachtsmann, dass das Fest dieses Jahr wegen euch ins Wasser fällt.

Nein,
noch
besser.

Oha?
Ihr werdet
es ihm selbst
erklären
dürfen!
SCHW

Widerstand ist zweck-
los, die Herren Wichtel!
Aus meinem Multi-
lasso hat sich noch
keiner je befreit!

Eine freundliche
Einladung hätte es aber
auch getan.
Ach ja? Und der
wärt ihr brav
gefolgt?

Sicher! Oder denkst du, wir
hätten tatenlos zugesehen, wie
du mit dem Schlitten des
Weihnachtsmannes wieder
abziehst?
Seufz!

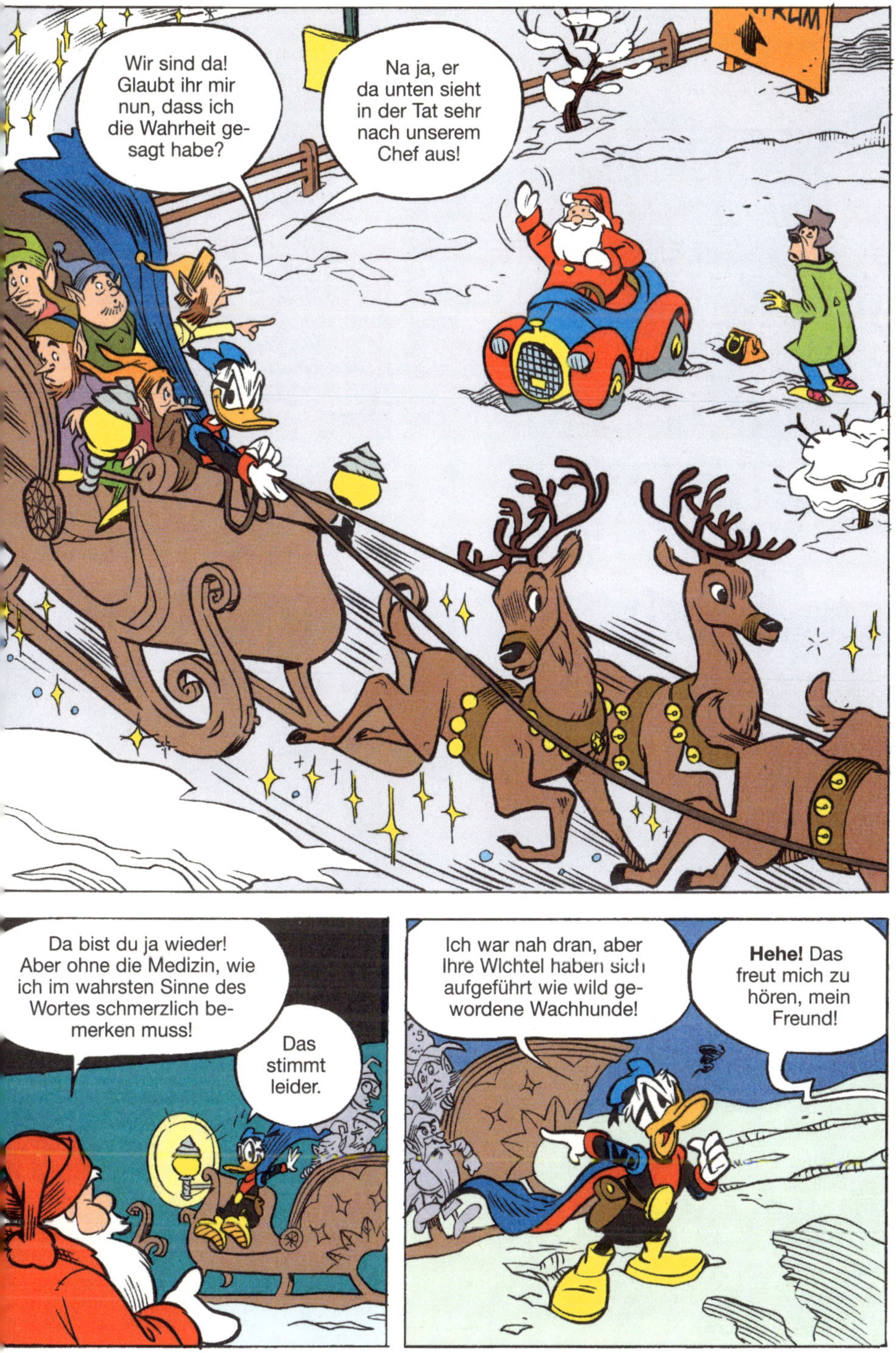

Wir sind da! Glaubt ihr mir nun, dass ich die Wahrheit gesagt habe?

Na ja, er da unten sieht in der Tat sehr nach unserem Chef aus!

Wirklich? Du bist nicht böse auf uns, Weihnachtsmann?
Aber nein, ganz und gar nicht! Es war richtig von euch, keinen Fremden ins Haus zu lassen...

...der nicht meine persönliche Kennkarte mit dem Sicherheitscode vorweisen kann!
Was?
X-MAS!
DER WEIHNACHTS-MANN

Ich wollte dir die Karte geben, aber du hast mir keine Zeit dazu gelassen, Phantomias!
Seufz! Ich verstehe. Aber jetzt...

...habt ihr die Karte gesehen, nicht wahr?
Selbstverständlich. Auch wenn es das gar nicht mehr gebraucht hätte.

Schließlich haben wir den Weihnachts-mann in Person vor Augen!
Wie geht es dir?
Ganz gut, bis auf den Rücken.
An Bord, Herrschaften! Ich habe meine Zeit nicht gestohlen!

Geh nur
und komm bald
wieder!
Verlassen Sie
sich darauf, mein
Freund!
Knapp wird
die Sache auf jeden
Fall! Der Schlitten ist
zwar schnell...
...aber wenn uns
jetzt noch etwas auf-
hält, bleibt wohl nichts
anderes übrig, als Weih-
nachten auf morgen
zu vertagen!
Also, wo ist nun
das Fläschchen mit dieser
Medizin?
Ist doch
klar!

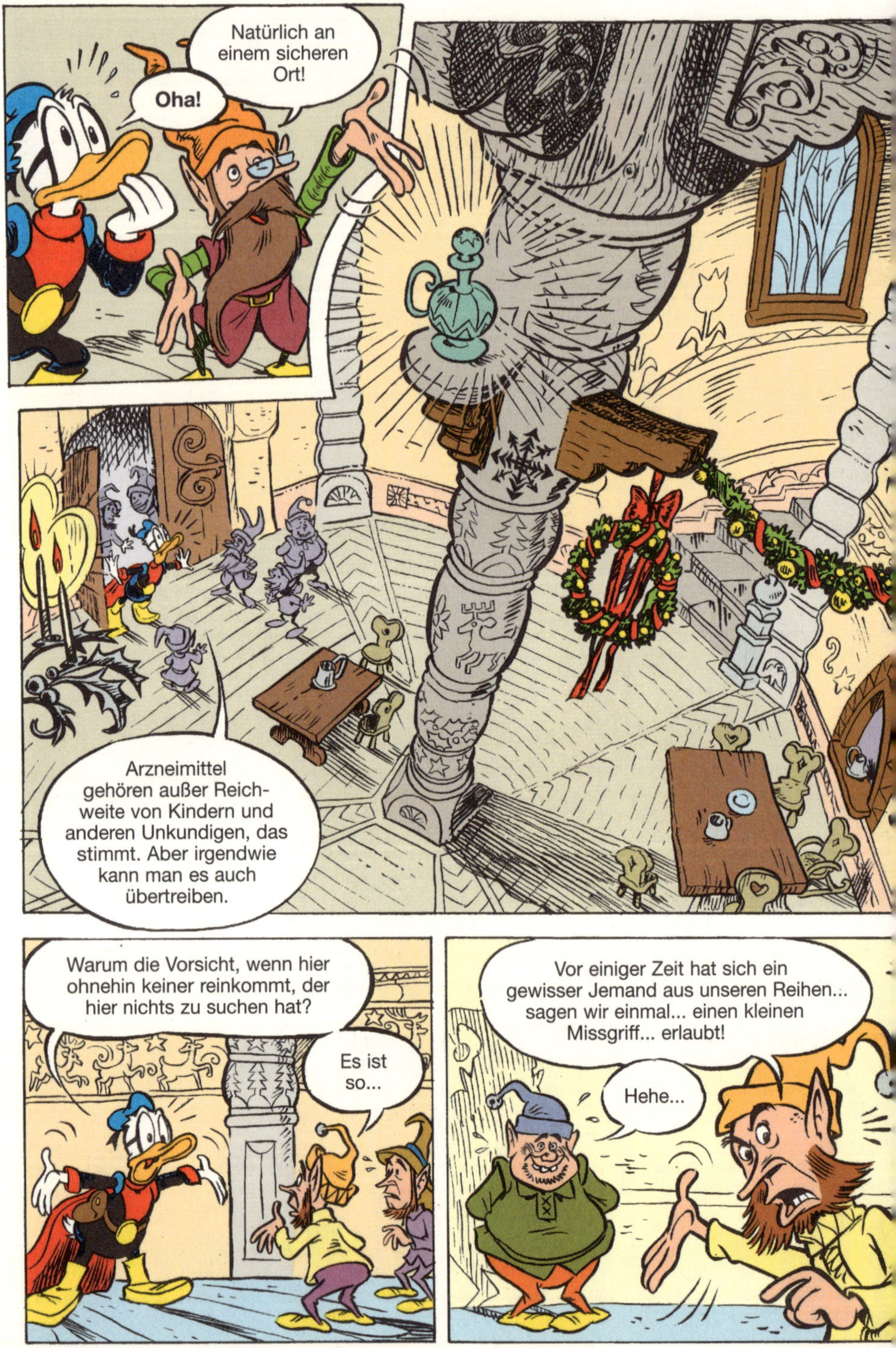

Oha!

Natürlich an einem sicheren Ort!

Arzneimittel gehören außer Reichweite von Kindern und anderen Unkundigen, das stimmt. Aber irgendwie kann man es auch übertreiben.

Er hat die Flasche mit der Lotion leer geschlabbert und frech behauptet, er hätte es für Fenchelsirup gehalten.
Das war lecker! **Mjam!**
Sagst du! Aber dem Weihnachtsmann hat die Geschichte überhaupt nicht geschmeckt!
Hrmpf! Müsst ihr ausgerechnet jetzt die ollen Kamellen rauskramen? Wir haben Wichtigeres zu tun!
Auch wieder wahr! Also los, alle Wichtel zu mir!
Wir bauen eine Pyramide und dann klettert einer hoch zu der Flasche!
Nein, spart euch die Mühe!
Sonst renkt sich am Ende noch jemand den Rücken aus.
Außerdem...
?
?

...ist das hier ein Kinderspiel für mich! Schon passiert!

Los geht's! Wir wollen den Weihnachtsmann nicht warten lassen.
SPROING

Beeilt euch ein bisschen! Ab in den Schlitten!
Nein, geh du alleine! Du schaffst das auch ohne uns, Phantomias.

Hier braucht es alle unsere Hände für die Arbeit. Und um dem Weihnachtsmann den Rücken einzureiben, genügen deine beiden.
Na gut!

Aber überlegt euch nebenbei gleic einen bessere Platz für die Medizin!

Der Vorsprung ist nämlich alles andere als sicher! Ein sanfter Tritt gegen die Säule, und die Flasche plumpst dem nächstbesten Leckermäulchen direkt in die Arme.
Du hast recht! Das wäre ausgesprochen ärgerlich!
Oder stellt euch vor, sie fällt zu Boden und...
...zer-bricht!
KLIRR
O nein!
Auch das noch!
Da geht sie hin, die kostbare Medizin. Und mit jedem Tropfen, der zerrinnt, schwindet die Chance, dass der Weihnachtsmann rechtzeitig wieder auf den Beinen ist, um seine festtäglichen Pflichten zu erfüllen...

Das hast du ja ganz toll hinge-kriegt!
So etwas schimpft sich nun Super-held!
Genau! Zuerst große Reden schwingen, und dann nicht einmal unfallfrei in einen Schlitten steigen können!
Hüstel...
MJ-PK75-1B

Das ist gemein! So ein Missgeschick kann schließlich jedem passieren!

Außerdem habt ihr bestimmt eine Flasche in Reserve, oder nicht?
Eher oder nicht.

Ist es denn zu fassen? Wie kann man nur so verantwortungslos sein?
Wir haben nicht daran gedacht, weil sich der Weihnachtsmann in den letzten hundert Jahren bester Gesundheit erfreut hat!
ZUPF

Und die Flasche war randvoll! Damit wären wir noch eine halbe Ewigkeit ausgekommen.
Schon gut! Es hat keinen Sinn, über vergossene Arznei zu weinen.
PLITSCH

Was machen wir jetzt?
Das Einzige, was uns in diesem Fall übrig bleibt... wir bereiten eine neue Lotion zu!
!

Haben wir dafür überhaupt genug Zeit?
Ja, aber nur wenn du uns hilfst, Phantomias! Meine Wichtel und ich bereiten den Sud vor...

...während du dich auf die Suche nach der wichtigsten Zutat machst!
Gut! Und welche ist das?

Diese Heilpflanze, die nur auf einer Lichtung in jenem Wald wächst, den die Magie der Weihnacht hier im hohen Norden gedeihen lässt.
Aha.

Und warum soll ich mich durch einen ganzen Wald wühlen, wenn du das Gesuchte bereits in Händen hältst?
Was?

Aber nein! Das war doch bloß eine magische Schimäre, damit du dir ein Bild davon machen kannst, wonach du suchst!
Ups! Verstehe. Ich gehe dann mal.

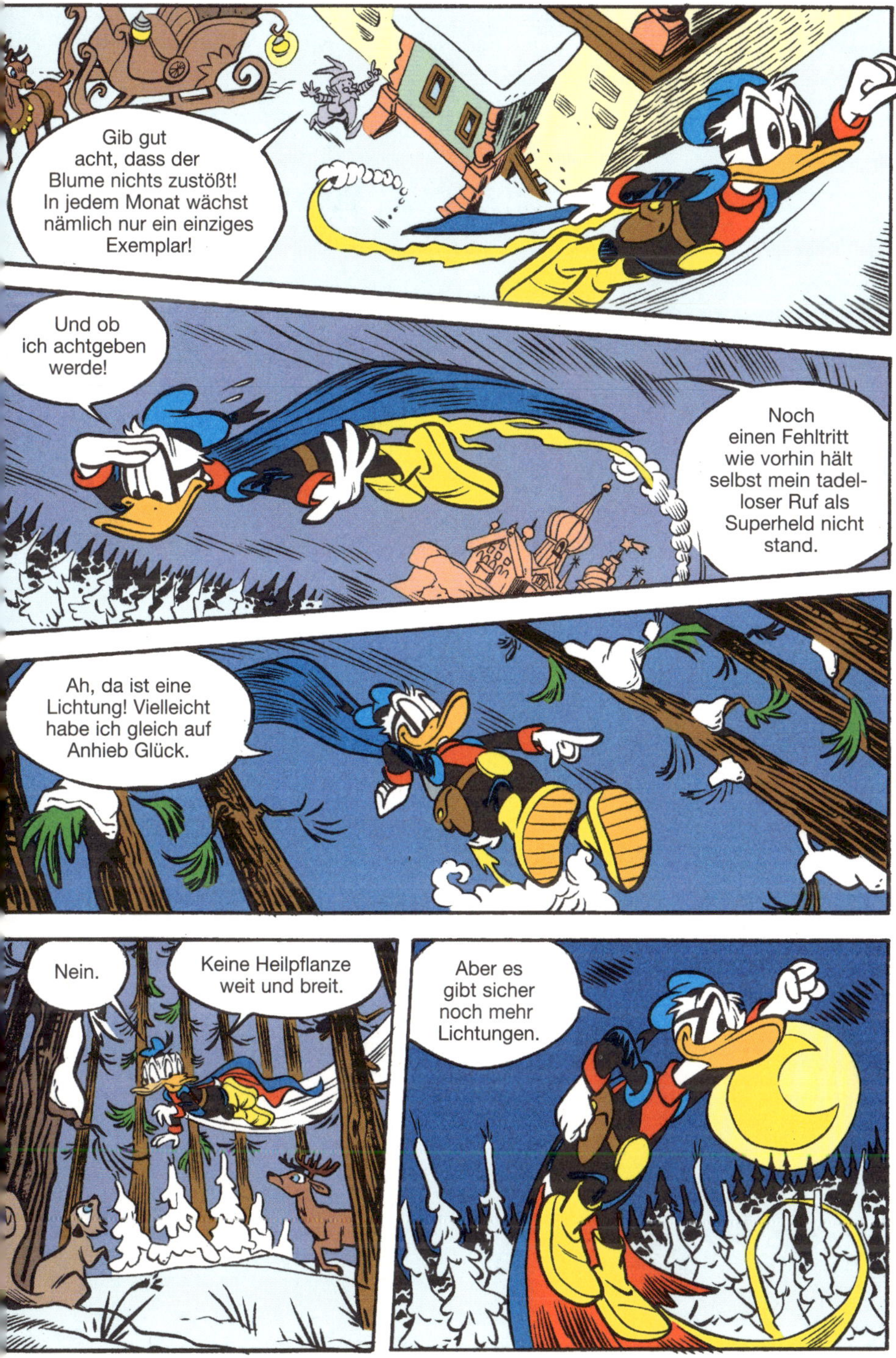

Gib gut acht, dass der Blume nichts zustößt! In jedem Monat wächst nämlich nur ein einziges Exemplar!

Und ob ich achtgeben werde!

Noch einen Fehltritt wie vorhin hält selbst mein tadelloser Ruf als Superheld nicht stand.

Ah, da ist eine Lichtung! Vielleicht habe ich gleich auf Anhieb Glück.

Mehr als mir lieb sein kann wahrscheinlich, so riesig wie der Wald ist.
Oh! Was blitzt da so neckisch aus dem Schnee?
Die Blume! Beim zweiten Versuch! Auch nicht übel.
Verrätst du mir, was du damit vorhast?
ZUPF
Was für eine Frage! Die Arznei herstellen, versteht sich!

Aber sag, was suchst du eigentlich hier? Wieso bist du nicht im Haus des Weihnachtsmannes bei deinen Mitwichteln?
!

Oh, ich habe ein paar Tage Ferien gemacht und bin gerade wieder auf dem Weg nach Hause. Es gibt eine Menge Arbeit zu tun.

Und ich will mich auch gleich nützlich machen! Gib mir die Pflanze, ich bringe sie zu den anderen.... Wichteln!
He?
GRAPSCH

Warte doch! Wenn ich es mache, geht es bestimmt schneller!
Garantiert nicht! Schau nur, wie flink ich bin!
WITSCH

Ich schlage vor, du suchst nach einer zweiten Blume, falls eine für die Arznei nicht ausreicht!
Äh... meinet-wegen.
ZIPP

Komische kleine Kerle, diese Wichtel. Man weiß nie, woran man mit ihnen ist.

Augenblick! Hieß es nicht, dass nur ein einziges Exemplar der Heilpflanze pro Monat wächst?

Dieser Wicht von einem Wichtel hat mir einen Bären aufgebunden. Fragt sich bloß, was er damit bezweckt hat!

Wahrscheinlich ist er nur ein kleiner Angeber, der die Lorbeeren ein-streichen will für die Blume, die ich gepflückt habe. Aber...

...dafür ziehe ich dir die Ohren lang!
Da! Phantomias ist zurück!
Hast du die Pflanze?

Ja! Das heißt gehabt. Sie müsste längst hier sein. Wo steckt er?
Wo steckt wer?

Euer Mitwichtel, der eben aus den Ferien zurückgekommen ist!
Von wem redest du, Phantomias?

Von... ich, äh... habe ihn im Wald getroffen und...
Ich fürchte, ich verstehe! Das muss ein Kobold gewesen sein!
O nein!

Die Kobolde lieben es, andere an der Nase herumzuführen! Und du bist mit fliegenden Fahnen auf ihn hereingefallen!
Herrje.

Eine Katastrophe! Wir können nichts mehr tun, um das Weihnachtsfest zu retten!
Dooh!

Ich werde nicht zulassen, dass die Kinder dieser Welt morgen mit traurigen Augen und leeren Händen unter dem Weihnachtsbaum stehen!
Dieser Kobold hat den Fehler seines Lebens gemacht!
Da ist die Lichtung, auf der ich ihn getroffen habe. Man kann noch deutlich meine Spuren sehen.
SPROING
Und seine auch! Jeder Anfänger könnte ihn auf diese Weise aufspüren.
Hehehe! Hihihi!
Aha! Weit hat sich der Spaßvogel nicht abgesetzt. Der fühlt sich wohl sicher.

Da hockt er und brüstet sich vor seinen Kumpels, der kurz geratene Kleinstkomiker.
Wie du den Maskierten auf die Rolle genommen hast, war große Koboldkür! Damit machst du dir einen Namen waldweit!
Ich hätte zu gerne sein Gesicht gesehen, als er gemerkt hat, dass er sein Unkraut in den Wind schreiben kann!
Hol's der Wurzelzwerg!
SUMMS

Dazu wird er keine Gelegenheit haben, weil ich ihm nämlich zuvorkomme mit meinem Teletransportstrahler!
SUMMS
Was? Du hier?

Glaubst du, ein Phantomias lässt sich so leicht foppen? Sei froh, dass ich keine Zeit habe, um dir deinen hinterhältigen Humor auszutreiben.
KLICK

Pah! Du hast die Verlade verdient! Wie konntest du mich nur mit einem gewöhnlichen Wichtel verwechseln?

Wenn du es genau wissen willst, im ersten Moment habe ich dich für einen entlaufenen Gartenzwerg gehalten!

Und mir wirfst du einen hinterhältigen Humor vor! Frechheit!
Uack!
FUMP
ZIPP

Ich habe sie wieder!
PLOPP
Schnaub!

Aber nicht mehr lange!
Mag sein!

Allerdings nur, weil ich das zarte Blümelein in gute Hände weiterreiche!
Oha!
Hehe!

Obacht! Mein Sinn für Späße ist eher unterentwickelt!
Hopp!

Dein Gleichgewichts-sinn auch, wie ich feststelle!
He?
ZURR

POCK
Autsch!

BUMP

Was für ein köstlicher Spaß!
So gut habe ich mich lange nicht mehr amüsiert!

?
Warum rührt er sich nicht?
Wahrscheinlich ist er zum Eisblock erstarrt!

Da besteht keine Gefahr, heißblütig, wie ich bin!
Ungh!
SCHNAPP

Zudem ist mein Kostüm gut gefüttert. Im Gegensatz zu euch, wie ich vermute, sonst hätte es zu ein bisschen mehr Länge bei der Größe gereicht!
Das ist eine Unverschämtheit!

Gern geschehen. Jetzt hört zu, wir machen ein Geschäft! Ihr gebt mir die Pflanze unversehrt wieder...

...und dafür bekommt ihr diesen Komiker zurück!
Heda!

Autsch!
PLOTZ

Kein Widerspruch? Dann sind wir uns wohl einig.

Macht euch nichts draus! Jeder Scherzkeks trifft irgendwann auf einen Witzbold, der einen schärferen Humor hat als er selbst!
Schätze, damit ist der entscheidende Schritt zur Rettung des Weihnachtsfestes getan.
Genug Trübsal geblasen, Freunde!
Macht euch lieber an die Arbeit!
Phantomias! Und er hat die Heilpflanze dabei!

Bald...
Die Lotion ist fertig!
Sehr gut!
Ich breche sofort auf! Wir wollen den Leidenden schließlich nicht länger warten lassen als unbedingt nötig.
Wie denn, ihr kommt mit? Warum habt ihr eure Meinung plötzlich geändert?
Weil wir gebraucht werden.
Der Weihnachtsmann hat eine Menge Zeit verloren! Da mag er sich noch so mühen, ohne...
...unsere Hilfe schafft er seine Runde heute Nacht nicht mehr!

Nur Mut, Weihnachtsmann! Gleich haben Sie die Schmerzen überstanden!
Phantomias! Ich habe doch gewusst, dass auf dich Verlass ist!
Hier, Doktor! Das ist Ihr Fachgebiet!
Wenn du meinst.
Aaah! Herrlich! Ich spüre schon, wie mir leichter wird!
Wirklich?
Und ob! Ich bin wieder zu allen Schandtaten bereit!
Fantastisch!
KLACK
Dann kann ich Ihnen nur noch alles Gute wünschen! Und vergessen Sie nicht...

Hehe!
...die Arznei! Was zum Donner ist plötzlich in diesen Halunken gefahren?
!

Aber der kommt nicht weit, dafür garantiere ich!
Schnapp ihn dir, Phantomias!

Der Kerl hat einfach einen krankhaften Hang zum Kriminellen.
Umpf!
PLUMPS

Tut mir leid, es war stärker als ich. Die Arznei ist einmalig und...
Ja, ich habe schon verstanden.

Sie wollten das Wundermittel unter Ihrem eigenen Namen auf den Markt bringen und damit ein Vermögen scheffeln!
Das war wohl keine so gute Idee.

Nein! Vor allem, weil es ein furchtbarer Reinfall geworden wäre! Die magische Wirkung dieses Mittels zeigt sich nämlich ausschließlich bei mir.
Oh!
Hier! Sehen Sie zu, dass Sie es künftig immer in Reichweite haben!
Mach ich!
Und vielen Dank für deine Hilfe, mein Freund!
Leb wohl!
MEG
MARK

Hüstel... Darf ich auch gehen, oder hast du noch ein Hühnchen mit mir zu rupfen, Phantomias?
Lieber nicht. Wer weiß, wer sonst Federn lässt.

Ich meine, wenn ich mit dieser Geschichte bei der Polizei auftauche, lande ich doch selbst in einer Zelle. Mit Gummiwänden!
Stimmt! **Hehe!**

Und schließlich ist auch alles gut ausgegangen, also vergessen wir Ihren Ausrutscher. Steigen Sie ein, ich bringe Sie nach Hause.
STADT-ZENTRUM

Danke für Ihre Einsatzfreude und ein frohes Fest!
Das wünsche ich dir auch, Phantomias! Bis ein andermal!

Gähn... Die Nacht hatte es in sich. Ich bin völlig zerschlagen.

Ich darf nicht vergessen, den Wecker zu stellen, sonst komme ich nie rechtzeitig aus den Federn.

Jedoch,
am nächsten
Tag...

Aufwachen,
Onkel Donald!
Frohes Fest!
Zzzz...
...ups?

Los, beeil dich!
Demnächst trudelt
die Verwandt-
schaft ein!
Ja, ja...
kein Grund
zur Hektik.

Aber das da schon!
Du hast die Geschenke
noch gar nicht unter
den Baum gelegt!
Oh!

Weißt du, was?
Wir übernehmen
das für dich!
Gute Idee!

Dann sehen wir auch,
was der Weihnachts-
mann heute Nacht
gebracht hat!
Na schön.
Ich bin gleich
bei euch.

Die Würmlinge ahnen nicht, dass sie es auch mir zu verdanken haben, dass sie ein Weihnachten erleben dürfen, wie sie es gewohnt sind.

Ein verrücktes Abenteuer. So etwas hat man selbst als Phantomias nicht oft.

Wenn ich denke, dass alles damit begonnen hat, dass ich das Geschenk für Dais...
...ieks!

Ich habe völlig verschwitzt, das Parfüm umzutauschen!

Schnell, Jungs, sagt mir, wo mein Geschenk für eure Tante Daisy ist!
Wo soll es sein? Hier bei den anderen natürlich!

Du hast vergessen, es einzupacken, da haben wir es gemacht. Ist es recht so?
Wunderschön, Jungs! Vielen Dank!
Was nun? Die Läden sind geschlossen. Und selbst wenn ich eine Ungesetzlichkeit wagen wollte...
...wäre es dafür jetzt zu spät! Das kann was werden.
Das wünsche ich auch!
Ein frohes Fest!

Ironie des Schicksals. Dank meines Einsatzes können alle ein unbeschwertes Fest feiern...

Nur ich nicht!
Frohe Weihnachten! Hier, das ist für dich!

Ich muss Zeit gewinnen. Vielleicht fällt mir ja noch eine Lösung ein.
Danke! Ich, räusper... schlage vor, wir gehen zu Tisch. Was haltet ihr davon?

Überhaupt nichts! Wir werden natürlich zuerst die Geschenke auspacken!
Wie immer!

Schiefgegangen.
Ach ja, die... hüstel... Geschenke.
Genau! Und?

Nun bin ich geliefert, mein Schatz.
Hier, für dich! Frohe Weihnachten!

Oh! Aber...
Ich hoffe nur, sie haut mich nicht vor der versammelten Mannschaft in die Pfanne.

...das ist Schanell Nummer fünf! **Mein Lieblingsparfüm!**
Was?
SCHNIRCH

Danke, Donald! Das ist furchtbar aufmerksam von dir, du Guter!
SCHMATZ
Freut mich, wenn es dich freut.

Aber gestern war es doch noch das falsche. Und umgetauscht habe ich es nicht. Und verrückt geworden bin ich auch nicht, das hätte ich gemerkt.

Obwohl, ein wenig vielleicht? Ich meine, die ganze Geschichte mit dem Weihnachtsmann und so... am Ende war das alles nur ein Traum?
Nein, Unsinn! Jetzt geht mir ein Licht auf! Das mit dem Parfüm war selbstverständlich...
...er!
Das war das Wenigste, was ich für ihn tun konnte, nach all dem, was er so selbstlos für mich getan hat!
Frohe Weihnachten alle miteinander!
ENDE

Nino Russo (Story), **Danilo Barozzi** (Zeichnungen)

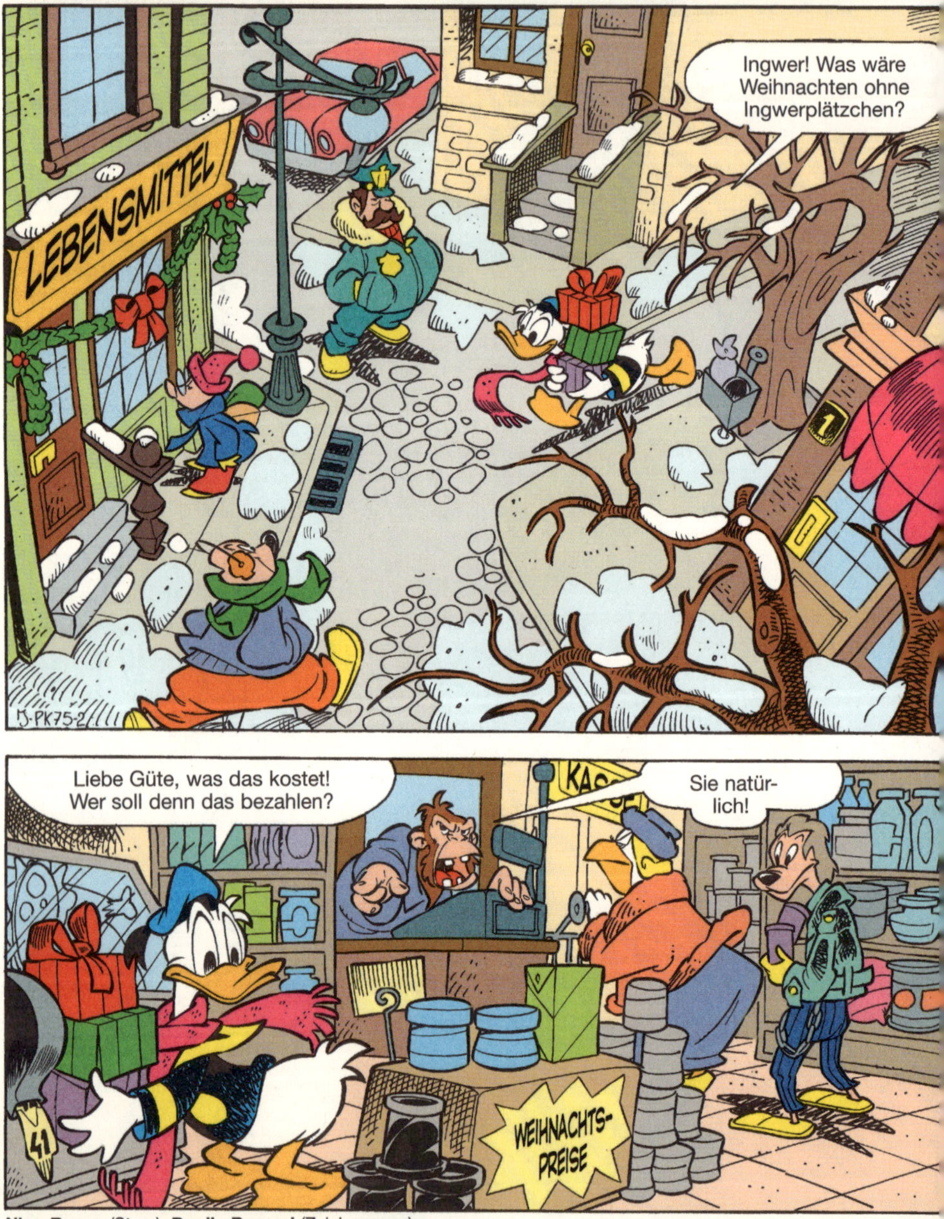

Wie wäre es mit Lieferung frei Haus, bei dem Preis?
Ich lache später!

Frohes Fest!
Garantiert! **Hehehe!**

Bald danach...
BONG
Ich bin so weit, Jungs!
Wir auch!
Fast!

BONG
Was denn? Schon so spät?
Warum? Die Gäste kommen doch erst in einer Stunde.

Etwas spät für meine Runde als Phantomias. Aber die muss auch an Weihnachten sein.

Oje! Ich habe den wilden Reis vergessen!
Geht es nicht ohne?
Nein! Daisy wäre zutiefst enttäuscht!

Gut, dass der Keller mehrere Eingänge hat.

Ich hoffe nur, dass die Ganoven auch Weihnachten feiern.

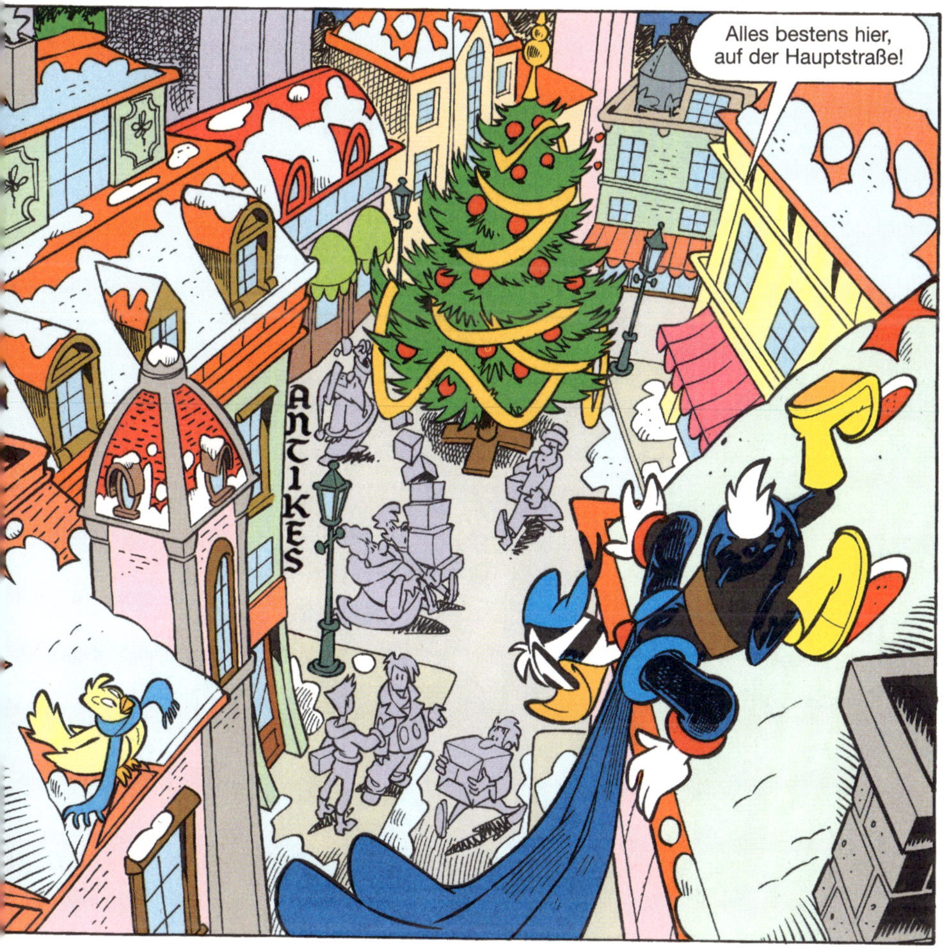

Alles bestens hier, auf der Hauptstraße!

ANTIKES

Nicht zu fassen!
Ein Akkubohrer! Den habe ich mir schon lange gewünscht!
Oh! Ein Dietrich aus Edelstahl! Danke!

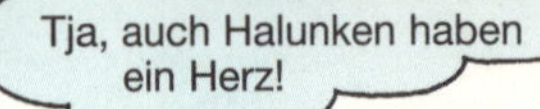
Tja, auch Halunken haben ein Herz!

Ein kleiner Rund-blick noch und…

Hust! Ich sehe die Hand vor Augen nicht!
PFOFF

Umpf!
Aua!
KA-PONK

Ächz! Das muss eine Halluzination sein!
Eine ziemlich handfeste, oder?

Gleich weiß ich es!
Aua!

Mann!
Weihnachtsmann, wennschon! Und als solcher im Moment furchtbar im Stress.

Kann ich Ihnen vielleicht helfen?
Wenn du etwas Zeit entbehren kannst…

Zu zweit sind wir doppelt so schnell!

Gleich haben wir es geschafft, Phantomias!
Ah, Sie kennen mich?

Was dachtest du?
Für mich? Das ist aber nett, Weihnachtsmann!
PHANTOMIAS

Du hast es verdient!
FOTO

Frohe Weihnacht!

Nun aber nichts wie nach Hause!
DONG

Herrje! Ich habe meine Pistole verloren!

Aber wo? Wie? Wann?

Klar! Bei dem Zusammenstoß mit dem Weihnachtsmann!
PATSCH

Nein, hier ist sie nicht! **Verflixt!**

Ob sie jemand gefunden hat, auf dem Dach? Nein!

Vielleicht ist sie in den Schlitten gefallen?

Und... nein! **O nein!**
Der Weihnachtsmann hat sie sicher für ein Spielzeug gehalten und unter einen Baum gelegt!

Katastrophe! Ich muss sie wiederfinden!

Derweil...
Hrmpf! Wo treibt sich der Schlingel so lange herum?
Die Läden sind heute bestimmt brechend voll!

Langsam kriege ich echt Hunger
Ich auch!
Reißt euch zusammen! Wir fangen auf keinen Fall ohne ihn an!
BRUMMEL
Hast du gehört, Bertel?
Pah!
PATSCH
Hier waren wir zuerst!
SCHWUPP
FUMP
Keuch! Der Kamin gehört geputzt!
Ist da wer?

Ich sehe nichts!
Da, Papa!
Ein Einbrecher!

Den hau ich grün und blau!
Aua! Bitte nicht!
PATSCH
ZACK

Ver-
schwinde!
STOMPF

Die Pistole war nicht da, so viel habe ich mitbekommen!

Dann also auf zur nächsten Station!

Gut! Der Kamin
ist sauber…

…aber in Betrieb! **Aua!**

Gehe ich eben durch
die Tür, wie andere
Leute auch!

Hoffentlich ist
keiner zu Ha…
KLICK

AAAAAH

Sieh an, ein neuer Lichtschalter!
Hübsches Geschenk!
Und dringend nötig…

Einige Häuser später...
Das kann dauern! Besser, ich gebe meiner Familie Bescheid!

Ist es wahr? Das hätte ich von selbst nicht gemerkt!
Es war Onkel Donald! Er kommt später!
Gut! Da steht ein Fenster offen!

Schön, wenn es auch mal reibungslos klappt!
KNIETSCH

O nein!
GRRR

Eieiei!
SCHNAPP
Oje, oje! Nicht schreien! Bloß schauen!
ZERR
Wieder nichts! Die ganze Quälerei umsonst!
GRRRRR

Dann…
Hier geht es nicht heimlich!

KLOPF KLOPF
Phantomias!

Verzeihung, ich suche nur nach einer…
Papa! Mein Wunsch ist wahr geworden! Phantomias ganz für mich alleine!
Na, so was!
Aber nein, das ist ein Irrtum! Ich…
Willst du das Kind etwa enttäuschen? Schöner Held bist du!
Phantomias!
Also gut…
So…
BLITZ
Tolle Sache für den Jungen!
Ich freue mich so für ihn!
Wihihi!
Hüa! Hüa

Endlich…
Danke!
Alles klar?
Ich würde ja sagen, Helden kennen keinen Schmerz, aber das wäre gelogen!

Bald…
Ich glaube, das dort war das letzte Haus!

Falsch geglaubt!
Phantomias! Lauf doch nicht weg!

Das da ist es! Ich erkenne es am kaputten Kamin!

Hier muss die Pistole sein! Es geht gar nicht anders!

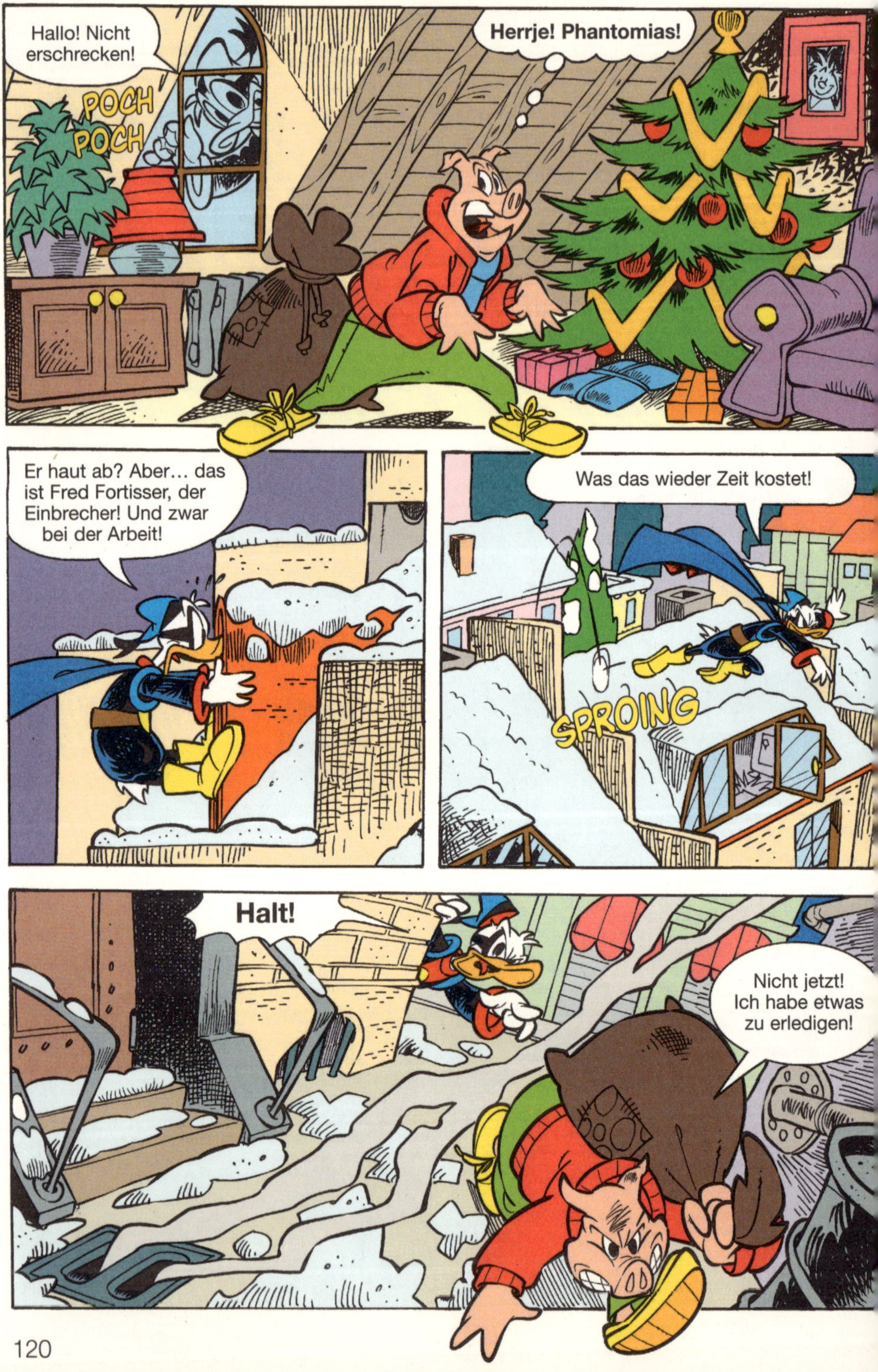

Hallo! Nicht erschrecken!

POCH POCH

Herrje! Phantomias!

Er haut ab? Aber… das ist Fred Fortisser, der Einbrecher! Und zwar bei der Arbeit!

Was das wieder Zeit kostet!

SPROING

Ich auch, du Gauner, nämlich dich!
WITSCH
REPARATUR
Uff!
Pech!
Derweil glauben die Lieben daheim, dass ich im Supermarkt müßig um eine Handvoll Reis anstehe… Wenn die wüssten! **Seufz!**
Dort drüben ist Fred reingeschlüpft!

Schon fertig?
Mist!

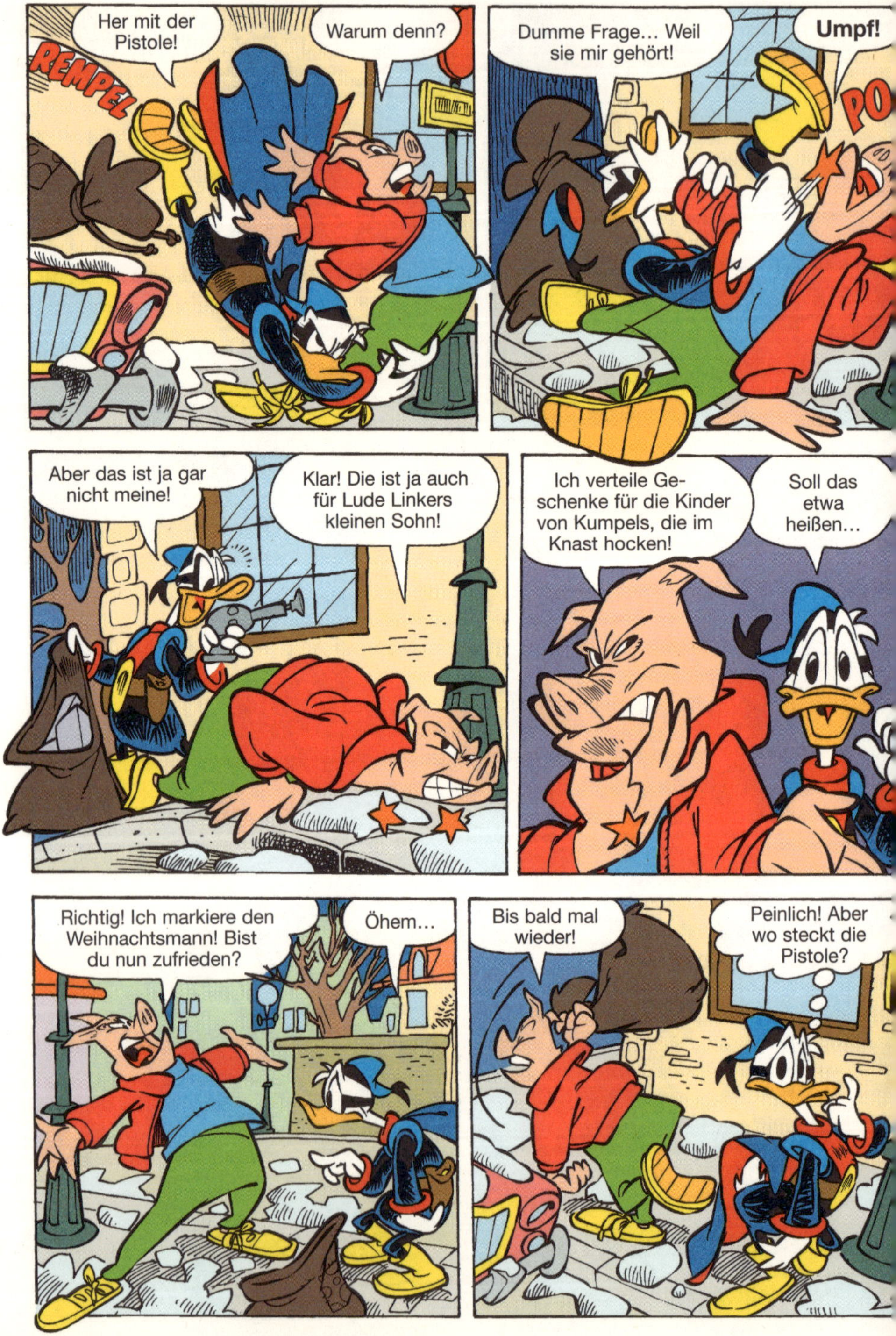

Her mit der Pistole!

REMPEL

Warum denn?

Dumme Frage… Weil sie mir gehört!

Umpf!

Aber das ist ja gar nicht meine!

Klar! Die ist ja auch für Lude Linkers kleinen Sohn!

Ich verteile Geschenke für die Kinder von Kumpels, die im Knast hocken!

Soll das etwa heißen…

Seufz! Das muss wohl warten bis morgen!

Sonst werden meine Gäste noch böse!
Ich habe einen Bären-hunger!

Kein sehr gelungenes Fest bis jetzt! **Oh!** Da liegt ja meine Pistole!

Ich habe sie gar nicht eingesteckt in der Eile!
PATSCH

Dann ist alles gut! Den Rest kriege ich locker hin!

Zu Tisch, zu Tisch, meine Lieben! Ich bin schon richtig ausgehungert!
Du hast vielleicht Nerven, Neffe! Was sollen wir da erst sagen?
Wo ist der wilde Reis?
Ich habe es mir anders überlegt!
Für meinen Geschmack war der Abend wild genug! Reichst du mir mal bitte die Butter?
Das verstehe ich nicht!
Muss man auch nicht! Jet wird gegesse Kinder!
ENDE

…o Russo (Story), **Luca Bonardi** (Zeichnungen)

Nanu? Ich glaube, da krabbelt etwas!
Warte! Ich mache dir Licht!
TAPP TAPP

Waaah! Phantomias weiß, dass wir hier sind!
176-617
176-176

Dann brechen wir halt bei Juwelier Jux ein!
BANK
BEGNADIGT
176-176

Jedoch...
WEHE, WEHE, IHR GANOVEN!
Weia!
O nein! Daraus wird auch nichts!
176-176

*Sozialkasse für arbeitslose Gauner.

Ein Weilchen später…
Das muss der Wohnwagen sein. Hier bin ich richtig!
PK
Hallöchen, Jungs! Ich bin euer Vetter! Oh, es scheint keiner da zu sein!
Umso besser! Dann wird die Überraschung noch größer, wenn sie heimkommen!
Derweil…
Wie, ihr schon wieder? **Grmpf!**
Äh… es sind halt harte Zeiten…
…für totale Nieten! **Hehe!**
BEGNADIGT
176-176

Bitte, 15 Taler! Und jetzt ist Schluss mit Stütze!
Nicht mal unter Gaunern gibt es noch Gnade!
Mann! Was es für 15 Taler alles zu klauen gibt…
Ja, aber auch nur in diesem Superramschladen!
SUPERSPARMARKT
Wieso Ramsch? Sind diese Kekse etwa wirklich aus Sand?
Klar! Richtige Sachen gibt es nicht mehr zu klauen!
SANDKEKSE
Augenblick mal! Wo kommt der köstliche Duft her?
Aus unserem trauten Heim! Aber wie das?
SCHNUPPER
SCHNÜFFEL
Da muss einer bei uns eingebrochen sein!
Na, der kann was erleben! **Knurr!**

Halt, Freundchen, was…
Kommt rein! Essen ist fertig!
ROMS
176-617

Nachdem man ausgiebig gespeist hat…
Tja, und da hat meine Mama gesagt, ich soll mich bei euch nützlich machen!
Hm, hast du denn Erfahrung mit…
BEGNADIGT

…Überfällen, Einbrechen und Klauen?
Äh… kaum! Ich habe einmal einem Huhn ein Ei geklaut!

Bei uns auf dem platten Land fehlt es an Übungsmöglichkeiten! Aber Mama meint, ich soll die Familientradition wahren!
000

Und dann hat mir vorhin auch so ein Kerl im schwarzen Kampfanzug gesagt, dass ihr meine Hilfe braucht!
Ich ahne, wer dieser Kerl war!
Also los, Jungs! Kümmern wir uns mal wieder selbst um die Kohle!
Au ja! Wie wäre es mit Kaugummi-automaten knacken? Da bin ich gar nicht übel drin!
Hör zu, du Landei! Über solche Scherze sind wir längst hinaus! Hier geht es um große Dinge, klar?
Äh, natürlich!
Daher…
He! Du sollst Schmiere stehen und nicht stramm wie ein Stockfisch auf Landgang!
Öhm!
Und wenn die Bullen kommen, gibst du uns Be-scheid. Verstanden?

Und…
Ts! Ts! Da werkeln sie wieder! Und ich dachte, sie wären bereits auf dem Wege der Besserung!
Na dann… **Pfoten hoch, 000!**
Huch! Willst du etwa einen Kollegen ausrauben?
Ich bin kein Kollege!
Nicht? Wer bist du dann?
17
Mit wem quasselt das Landei da?
Vermutlich nur mit einem Spaziergänger!
Von wegen! Das ist Phantomias! Mach die Biege, 000!
?
Ich laufe ja schon.
Haben die es aber eilig! Dabei wollte ich mich nur mit dem Neuen unterhalten… Egal, versuche ich es beim nächsten Mal!

...nd...
Keuch! Da plaudert er seelenruhig mit unserem Erzfeind und sagt keinen Ton!
Ächz! Japs! Ich wusste ja nicht...
Eben! **Schnaub!** Ein Trottel vom Land bist du, wie er im Buche steht!
Nach einer kurzen Erklärung zu Phantomias...
Wenn einer wie der die Gegend unsicher macht, wie soll man denn da überhaupt noch arbeiten?
Indem man erfinderisch ist!
So...
Du, ist das jetzt erfinderisch?
Wart's ab, halt die Klappe und rühr dich nicht vom Fleck, klar?
Nanu? Was ist das?
Da liegt einer!
Hehe! Na also, es klappt!
POLIZEI
QUIETSCH

Phantomias!
Fahrt weiter, Jungs! Das ist eine Falle!
Bewegung im fortschreitenden Alter hält jung!
He, das Landei liegt noch da!
Beten wir für ihn!
Vielen Dank auch!
Also, wie ein gewitzter Ganove siehst du mir aber nicht gerade aus!
Bin ich auch nicht! Deshalb soll Opa ja einen aus mir machen! Jedenfalls will das meine Familie!
Verstehe. Und du, willst du das denn auch?
Ich habe keine andere Wahl!
Doch! Versuch's lieber mal mit ehrlicher Arbeit!
Geht nicht! In meiner Familie hat das Gaunerhandwerk Tradition!

Das Sitzen hinter schwedischen Gardinen auch! Solltest du aber kein Knastbrot knabbern wollen, kann ich dir helfen, einen ehrlichen Job zu finden.
Hm! Probieren kann ich es ja mal.
Später…
Okay, aber nur weil du es bist!
Man dankt! Damit haben Sie ihm den Weg zu einem redlichen Leben geebnet.
He, ich habe schon 50 Kreuzer Trinkgeld bekommen!
PARKPLATZ
ZUR GOLDENEN GANS
E 123
Na bitte! Hihihi!
Nur weiter so!
Klar!
Doch am Abend…
Verflixt und zugenäht! Eine ehrliche Arbeit? O Mann, wie soll ich das nur deiner Mutter beibiegen?

Argh! Mein Herz… ich glaube, es bricht!
Opa!
Das ist nur deine Schuld!
Schon gut, dann kündige ich eben wieder!
Nein! **Ächz**… das wirst du nicht tun!
Vielleicht ist es ja besser so!
?
Am Tag darauf…
Ich bin wirklich gespannt, wie 000 sich so macht!
FRISEUR
ZU
WRUUUMM
Hallo! Na, wie läuft das Geschäft?
Ich kann nicht klagen! Nur Opa macht mir Kummer!
PARKPLATZ
000
Er ist krank! Und ich bin schuld daran!
Was hast du denn verbrochen?
Nichts! Das ist es ja!

Er leidet, weil ich kein Gauner bin! Aber ich habe nicht das Zeug dazu.
Keine Bange! Opa Knack wird das schon überstehen.
PARKPLATZ
Diesmal nicht! Der Arzt meint, es stände übel um ihn!
Hm… den Arzt werde ich mir mal vorknöpfen!
000
Doch dann…
Und? Wie sieht's aus?
Tja, ohne Wunder wird er nicht wieder!
So? Mal ehrlich, übertreibst du da nicht etwas, Opa Knack?
Ehrlich… ah, die Schmerzen!
BEGNADIGT
Es ist doch kein Beinbruch, wenn einer aus deiner Familie mit einem redlichen Leben liebäugelt!
Aaah! Redlich…

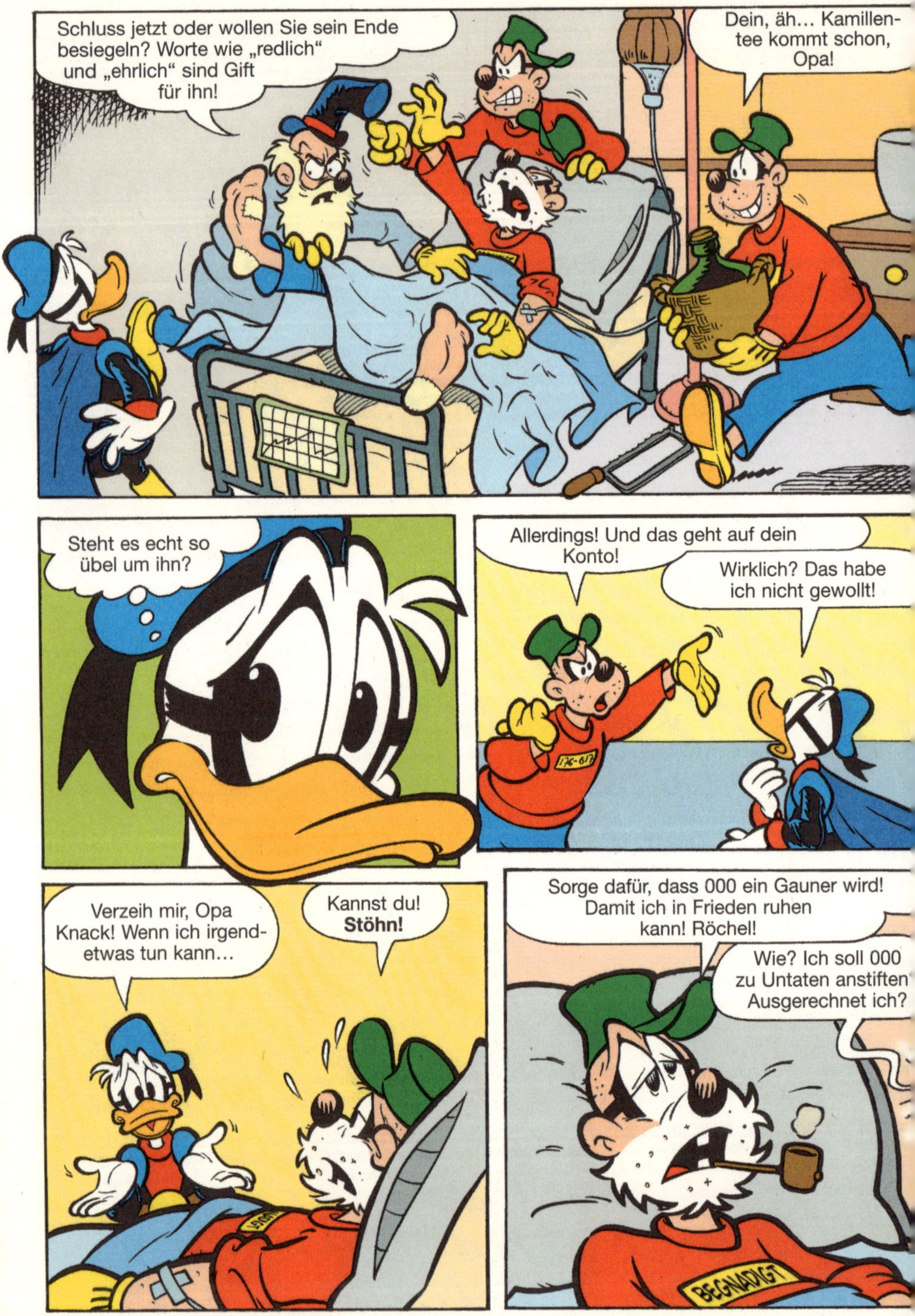

Schluss jetzt oder wollen Sie sein Ende besiegeln? Worte wie „redlich“ und „ehrlich“ sind Gift für ihn!

Dein, äh… Kamillentee kommt schon, Opa!

Steht es echt so übel um ihn?

Allerdings! Und das geht auf dein Konto!

Wirklich? Das habe ich nicht gewollt!

Wieso nicht? So schwer wird es schon nicht sein! Immerhin liegt uns das Verbrechen seit Generationen im Blut! Und du kennst alle unsere Tricks!
Auf keinen Fall! Vergiss es!

Oh, mein Herz! Es erträgt diese Schande nicht!
Also? Was ist?
Aber…

Ich bin Phantomias, der Beschützer von Entenhausen! Ich verführe keinen zu Straftaten!
Aua!
Weg da! Ich muss bohren, sonst ist es aus mit ihm!
Opa! Buhuhu!

Schon gut, Jungs! Ich sage 000, dass er kündigen soll.
So sterbenskrank, wie Opa ist, wird das aber nicht reichen.
Es braucht mindestens ein Wunder, wenn er wieder genesen soll!

Wie zum Beispiel einen sauberen Einbruch in Bertels Bunker! Dann wäre Opas Ehre wiederhergestellt!
Was? Niemals!
Das geht zu weit!
Ach was! Ein vorgetäuschter Einbruch tut es doch auch.
176-617
Opa würde vor Stolz platzen, wenn 000 den alten Knauser beklauen würde.
Und um der Gerechtigkeit Genüge zu tun, kannst du 000 dann hinterher ja in den Knast bringen.
Hm…
Das wäre aber ungerecht! Da gebe ich doch besser das Geld zurück und tue so, als hätte ich es gefunden.
Gut! Damit wäre ja alles geklärt!
Na gut, sei's drum! Jetzt aber schleunigst auf zu 000, sonst ist es am Ende doch noch zu spät. Hrmpf! Was man nicht alles für diesen alten Gauner tut…
Du hast eben ein Herz aus purem Gold!
Stimmt genau! Das we den wir dir nie vergesse Phantomias!
WUSCH

Je-
doch...
Was? Ich soll kündigen, obwohl ich hier auf ehrliche Art absahnen kann?
Tu es für Opa Knacks Wohl!
PARKPLA
E 999
Es ist doch nur zum Schein!
Ja, aber der Bunker ist mehr als echt! Da komme ich doch nie rein!
Mit meiner Hilfe schon!
He, dann sind wir Komplizen?
Sagen wir, Verbündete in einer guten Sache!
VROOOMMM
An diesem Abend...
Kannst du etwas sehen?
Alles! Diese Kamera mit Lichtverstärker ist echt eine Wucht!

So, da wären wir!

Wenn du genau tust, was ich sage, wird bestimmt nichts schiefgehen!

Mit meiner Spezialbrille kann ich nämlich Infrarotstrahlen sehen! Also tritt genau in meine Fußstapfen!

Und keine Panik! Nur ein kühler Kopf kann der Duck'schen Alarmtechnik trotzen.

Hehehe! Die stolzieren ja in der Gegend herum wie…
…die Störche im Salat! **Prust!**

So, die Hürde wäre genommen! Nun müssen wir zum Sicherheitskasten und das Kabel der Alarmanlage kappen.
Schluck!

Wenn ich nur wüsste, welches das richtige ist…
Hm…

Ich glaube, dieses hier!
Wie, du glaubst? Augenblick mal… warte!
SCHNIPP

Ächz!
Uff! Das war Glück!
SURR

Äußerste Vorsicht! Wir sind noch nicht an allen Fallen vorbei.
T

Aber ich muss gleich niesen!
O nein! Dann rasch ins Badezimmer mit dir…
IM GOLD LIEGT WAHRES!

…und den Kopf unter kaltes Wasser halten! Los, mach schon!
Aber… **blubb!**

SPROTZ

Na also, hat doch geklappt, oder?

Da ist der Tresor! Mit meinem Laserleser kann ich den Code knacken, aber es wird einige Zeit dauern…
Lass mich mal, Phantomias! Ich habe in…

…einem Film gesehen, wie es geht!
Was du nicht sagst…

Meine Güte! Und welcher Film war das?
Egal! Hilf mir!
He, sie kommen raus! Halt jetzt bloß die Kamera drauf!
Okay!
Ich werde uns den Rückzug ein wenig erleichtern. Mit den Säcken kommen wir sowieso nicht durch das Infrarotgitter.
IOWIOWIO
Herrje! Das falsche Kabel!
Macht nichts! Halt die Säcke fest!
U-und du mich!

Wieder zu Hause...
Hier, Opa! Ich bin in Bertels Bunker eingebrochen!
Oh, welche Freude meiner alten Tage!

Damit wäre die Ehre der Familie ja gerettet!
Und dir geht es wieder besser, oder?

Und wie! Hast du dich bei Phantomias für die Hilfe bedankt, 000?
Wieso für meine Hilfe? Das hat er doch ganz alleine hingekriegt!
Sei nur nicht so bescheiden! Wir haben schließlich alles auf Video mitgeschnitten!

Und hier ist ein Foto von euch beiden! Wonnig, nicht wahr?
Argh!

Klar! Wir wissen das und du weißt es...
Ja und? 000 ist eine ehrliche Haut und dabei brauchte er meine Hilfe!

...aber die Polizei wird das sicher ganz anders sehen, wenn wir ihr das Video zuspielen!
Und erst die Zeitungen! Ich sehe schon die Schlagzeile: „Entenhausens Superheld doch nur ein schäbiger Schurke“! Tja...
...und dann versuch mal, den Leuten zu verklickern, dass es nur für einen guten Zweck war, du Pfeife!
Oder anders gesagt: Ein Wort an die Bullen und Phantomias ist nur noch Geschichte! **Hehehe!**
Also halt schön dicht, wenn du weiter den Helden mimen willst!
Juhu! Ich bin ja so stolz auf dich, 000!
Ich auch! Du hast echt ein dolles Ding gedreht! Alle Achtung!
Und Phantomias kommt uns in Zukunft auch nicht mehr in die Quere.
Ja... aber die Polizei schon!
BEGNADIGT
176-617
-176
000
Daher zählt nicht mehr auf mich! Mir ist das alles zu stressig. Außerdem liegt mir meine Tat schwer auf der Leber.
Humbug! Du bist und bleibst einer von uns! Und vergiss nicht, du bist auf dem Video auch drauf! Sozusagen auf frischer Tat gefilmt!
Verflixtes Video! **Seufz!**
GNADIGT

…ein Leben als Gauner ist nun mal nicht das Richtige für mich. Ich will es lieber mit ehrlicher Arbeit zu etwas bringen.

Das finde ich sehr löblich, 000!

Schon, aber meine Mutter wird sehr enttäuscht sein.
Jeder muss tun, was er tun muss!
ZAPP
Danke, dass du mir geholfen hast, das zu erkennen.
Und ich danke dir, dass du mir geholfen hast, die Beweise zu vernichten.
Denn jetzt kann der Rächer der Beklagten und Beklauten wieder in Aktion treten! Es wird nämlich Zeit, dass ich...
Apropos Zeit! Mal sehen, wie spät es... **huch, meine Uhr!**
Grummel! Knurr! Wie konnte ich Blödmann 000 nur die Hand reichen? Auch ein ehrlicher Panzerknacker bleibt immer noch ein Panzerknacker!
KONZERT HEUTE ABEND
DIE BAND
ENDE

Bruno Sarda (Story), **Roberta Migheli** (Zeichnungen)

Dafür würde ein Profi viel Geld verlangen!

Äh… ihr habt doch über Geld gesprochen, oder?
Na klar! Denkst du, ich schufte mich aus Jux und Tollerei bei Wind und Wetter ab?

Das habe ich nur für unseren gemeinsamen Südseeurlaub auf mich genommen, Daisyschatz!
Den versprichst du mir schon seit drei Jahren!

Aber dieses Mal haben wir ihn in jedem Fall in der Tasche!

Und was macht dich da so sicher?
Eine kleine Gedächtnisstütze!

Wenn du meinen Geldspeicher polierst, bekommst du viele schöne Scheine!

War das nötig? Meinst du, ich bin so verkalkt, dass ich mein Versprechen vergesse?
Ich würde es in diesem Fall verdrängen nennen.

Nenn es, wie du willst, Neffe! Ich stehe jedenfalls zu meinem Wort!
DD

BLÜMOFÜN
?

Was… was sind das für Zettel?
Das ist dein Lohn! Anteilsscheine heißt es im Fachjargon.
BLÜMOFÜN
DD

Aktien von irgend-
einem Unternehmen
am Rande des
Bankrotts, ja?
Zugegeben, die
Blümofüm AG
kränkelt etwas!

Worüber ich als Aktien-
besitzer nicht wenig
unglücklich bin!
Und daher ver-
ramschst du sie an
Donald?

Ein gebräuchliches Gebaren im
Geschäftsleben, meine
Liebe! Was er-
wartest du von
mir?

Grrr! Ich…
Moment!
Ich hatte dir
viele schöne
Scheine ver-
sprochen.

Und was gibt es Schöneres
als Anteilsscheine?

Also halt den Mund und
mich nicht auf! Ich will
mich in Ruhe an meiner
Gerissenheit erfreuen.

Deshalb...
Der Alte ist mir über! **Seufz!** Aber gut, verscherble ich eben die Scheine.
Das reicht wahrscheinlich nicht mal für einen Besuch im Zoo!

Und wir wollten exotische Tiere in der freien Wildbahn Bolinesiens beobachten! **Schnüff!**

Dürfte es auch eine Safari in Safrani sein?

Der hat mir noch gefehlt!
Gustav? Na, so ein Zufall...
Ich habe in der Lotterie gewonnen, wie üblich! Und zwar zwei Karten für einen Urlaub in Safrani, inklusive Safari!
333

Wie wär's, Daisy, kommst du mit?
Ich sehe nichts, was dagegen sprechen würde.

Dann sieh mich an! Ich spreche dagegen!
Eiskalt

Also gut! Aber wenn du nicht in 48 Stunden mit zwei Tickets nach Bolinesien auf der Matte stehst…

…nehme ich Gustavs Einladung an! Bis dann!
Beileid, Vetterherz!
WROMM

Schluck! Wie soll ich in zwei Tagen zu dem Geld kommen?

Ich habe eben immer Pech! Da bin ich endlich einmal Aktionär, und schon geht die Firma den Bach runter!

Hm! Aber bevor ich die Aktien verkaufe, werde ich mir…
„…die Blümofüm AG ansehen!“
BLÜMOFÜM
Tut mir leid, junger Mann, aber diese Aktien sind tatsächlich keinen Pfifferling mehr wert.
Das ist alles, was von einem blühenden Geschäft übrig ist. Ein Häuflein verwelkter Pracht!
Der Gestreifte Süßmichl war die Wurzel unseres Erfolges!
„Eine eigene Züchtung, gekreuzt aus vielen anderen Blumensorten…“
SURR

„Sein Wohlgeruch bildete die Basis für unser Parfüm, das sich weltweiter Beliebtheit erfreute…“

Aber neuerdings…
Schnüff! **Puah!**

Das erinnert mich eher an Stinkwurz!
Tja, aber erst seit Kurzem!

Und der Grund dafür ist uns völlig schleierhaft! Wir haben jedes Detail geprüft…

PLÄTSCHER
…und festgestellt, dass im Gewächshaus alles seinen gewohnten Gang geht.
PLÄTSCHER
RAUSCH
Ja, woran kann es denn dann liegen?

Eigentlich nur an
der Pflanze selbst! Viel-
leicht haben…

…wir ihr zu
viele Kreuzungen
zugemutet und
sie ist vom rechten
Weg abge-
kommen?

Hier, bitte sehr! Damit Ihr
Besuch nicht ganz um-
sonst war!

Ich fürchte, das wird der einzige
Gewinn bleiben, den Sie aus
dieser Firma ziehen.

Tja, wenn die Vorräte
aufgebraucht sind,
müssen sie den Laden
wohl dicht-
machen.

Da kann nur
noch ein Wunder
helfen… nanu?
313

Hmm… verstehe. Das Gewächshaus liegt im Tal! Und direkt unter der Lackfabrik! Darum riecht es hier auch so übel!

Moment mal! Das bringt mich auf einen Gedanken!

„Das ist ein klarer Fall für Phantomias…“
Aha! Der Nachtwächter hält ein Nickerchen! Schön für ihn!
Schnirch!
KLEVERCHEMIE

Was der gute Mann nicht merkt, beißt ihn nicht! **Hehe!**

Das war jetzt kein glücklich gewähltes Stichwort, scheint mir!
KNURR
GRAUL
HECHEL

Hoffen wir, dass Herrn Düsentriebs neueste Erfindung auch funktioniert!

Ein Hypnosestrahl soll es sein!

Bestens! Er hält sich für einen Seehund!
KLATSCH KLATSCH
Juks!

Ich bin wirklich gespannt, ob meine…

„…Vermutung zutrifft!“
Ja, wie ich dachte! Die Filteranlage ist futsch.

Und aus dem Rohr, das eigentlich nur Kondenswasser ableiten sollte, tröpfelt jetzt wahrscheinlich eine hochgiftige Mixtur!

„Am besten untersuche ich gleich die Pflanze, die ich geschenkt bekommen habe.“
Die Messung zeigt tatsächlich Giftspuren im molekularen Bereich!

Daran sind garantiert die Ausleitungen der Lackfabrik schuld! Also, nichts wie zurück!
PATSCH

Keine Funktionsstörung bei näherer Betrachtung, nein! Da ist ein Wort mit dem Besitzer nur fällig!
BAUPLAN
KLEVERCHEMIE

Und der ist offenbar ein alter Bekannter!

„Klaas Klever…“
Aufwachen, Sie Umweltfrevler!
Chr… hä? Wer ist da?

Herrje! Phantomias?
In Wut und Maske, o ja!

Ich komme als Richter und Rächer in einem!
Was habe ich denn getan?
KLEVERCHEMIE

Die Frage ist eher, was Sie unterlassen haben! Nämlich den Einbau einer…
BAUPLAN

…ordnungsgemäßen Filteranlage in Ihrer Lackfabrik!
Nun ja, die Kosten waren enorm und da…

Da lassen Sie das Abwasser lieber ungereinigt in Ihren Hinterhof laufen. Nur ist es dort nicht geblieben…

…sondern bis zu den Gewächshäusern der Blümofüm durchgesickert.
Da-das wusste ich nicht!
KK

Niemand weiß es bisher! Doch wenn ich erst die Presse benachrichtige, werden es alle erfahren!

Schlecht für Ihren Ruf und Ihren Geldbeutel!
Warte, Phantomias! Das darfst du nicht machen!

Ich lasse auf der Stelle die beste Filter-anlage einbauen, die zu kriegen ist!
Das ist nur der erste Schritt!

Als Nächstes werden Sie sich schriftlich verpflichten, für alle entstandenen Schäden der Blümofüm AG aufzukommen. Klar?

So viel? Ich bin ent-setzt!
Tja, das hat Gift nun mal so an sich… kleine Menge, große Wirkung!

Man muss den Boden um das Gewächshaus abtragen, ehe der Gestreifte Süßmichl wieder seinen Wohlgeruch entfalten kann.

Wenn Sie Ihren Verlust begrenzen wollen, kaufen Sie Blümofüm-Aktien! Sie steigen demnächst schlagartig!

Und so, nicht lange danach…
Fantastisch! Mit dieser Summe sind wir aus dem Schneider, Phantomias!
BLÜMOFÜM

Freut mich! Und ich habe dafür gesorgt, dass es künftig keine bösen Überraschungen mehr gibt.
Ich bin sprachlos vor Glück! Ich weiß gar nicht, wie ich dir danken soll!

Danken Sie nicht mir, sondern…

…meinem Freund Donald! Er hat mich auf die Sache angesetzt.

Mir scheint, dass ihm sehr viel am Wohl Ihrer Firma liegt.

Bereits eine Woche später…
Heute beginnt unser Börsenbericht mit einer guten Nachricht.

Wie man hört, hat die Blümofüm AG ihr beliebtes Parfüm mit großem Erfolg neu auf den Markt gebracht.
DALIA DAX

Dank der Unterstützung eines namhaften Entenhausener Geschäftsmannes.
BÖRSE
DALIA DAX

Die Aktienkurse haben erwartungsgemäß reagiert und sich binnen zwei Tagen in luftige Höhen gerankt.
BLÜMOFÜM AG

Der sprichwörtliche Lohn der guten Tat lässt bestimmt nicht mehr lange auf sich warten.

DING
DONG
Na bitte! Das ging ja flinker, als ich dachte!

Onkel Dagobert! Was führt dich forschen Schritts an meine Tür?

Sehr poetisch! Wo lässt du deine Texte schreiben? Nein, im Ernst, Neffe…

…ich wollte mich noch einmal für deine gute Arbeit bedanken.

Jeder, der meinen Geldspeicher sieht, sagt, dass er wunderhübsch poliert ist. Und jeder hat recht!

Im Nachhinein ist es mir daher ein Bedürfnis, dich reicher zu entlohnen als nur mit wertlosen Aktien.

Du hast sie doch noch nicht verkauft, oder?
Nein, die gebe ich wohl demnächst zum Altpapier.

Oder nimmst du sie etwa zurück?
Äh… gern, ja. Altpapier kostet!

Ich kaufe sie dir sozusagen ab, zur Belohnung! Sagen wir… achtzig Taler?
Einverstanden!

Achtzig Taler also…

…aber für jede einzelne Aktie! **Hehe!**

Und deshalb, ein paar Tage später…
NACH SAFRANI
NACH BOLINESIEN
Tschüs! Amüsiert euch schön, Paula!
Gute Reise, Vetterherz!
Grummel!
Nochmals danke, Daisy!

Gustav ist wohl nicht sehr glücklich, dass du ihm deine Freundin Paula als Begleitung aufgedrängt hast?
Dafür bin ich umso glücklicher, weil ich zwei Wochen Bolinesien an der Seite…
…eines echten Finanzgenies genießen darf…
…das es sogar geschafft hat, einem Profi wie Onkel Dagobert den Rang abzulaufen!
Was hast du nun vor? Wirst du weiter an der Börse spekulieren, Donald?
Lieber nicht! Weißt du, den Erfolg verdanke ich eigentlich nur…
DUCK AIR
…meinem Freund Phantomias! Hihi!
ENDE

Created 2001

Carlo Panaro (Story), **Anna Marabelli** (Zeichnungen)

Pech! Denn nur wenige bringen in dieser Nacht ihre Schäfchen ins Trockene…

…während andere geruhsam vor dem Fernseher sitzen…

…und wieder andere längst schlafen!

Der Wächter der Nacht hin-gegen kennt weder Rast noch Ruh…

Ich bin klatschnass! Sicher werde ich mir hier noch eine…

…Erkältung holen… **hatschi!**

Tröött! Bei dem Regen jagt man nicht mal einen Hund…

…vor die Tür! Ich gehe nach Hause! Wer sollte bei so einem Wetter schon einbrechen!

So, noch ein letzter Blick…

Huch! Da habe ich mich wohl getäuscht!

Den schnappe ich mir!
ZISCH

Oje! Der Regen tut meinen Antriebsstrahlern gar nicht gut.
ZISCH
SPOTZ
RÖCHEL

Hilfe!

KRACKS

Uff! Was für eine Nacht! Erst der Regen und dann das!
ACHTUNG, BAUARBEITEN!

Hmpf! Das zahle ich diesem Schurken heim.
SPROING
SPROING
SPROING

Halt!
GEMÜSE
Huch! Phantomias!

Daneben! **Hehe!**
ZAPP
Aber der fliegenden Faust entgehst du nicht!
ZWISCH

Wie man sich doch täuschen kann, was?
SOCK
Schluck!

Schön üben! Vielleicht hast du nächstes Mal mehr Glück!
WROMM

Grmpf! Niemand macht sich ungestraft über Phantomias lustig!

Aha, er fährt aufs Land!
ROMM

Hier ist er abgebogen!

Gleich habe ich ihn… **huch!**

Das gibt es doch nicht! Der Kerl hat mich abgehängt!

Der hat wirklich ein Mordsglück! Normalerweise entkommt mir keiner!
ENTENHAUSEN

Aber jetzt komme ich auf meine Kosten!

Los, ergib dich, du Schurke!
Phantomias!

Da gehe ich lieber stiften!

Na, der wird mein Magnet-netz kennen-lernen!
SCHWIRR

Nicht zu fassen! Daneben!
RASSEL
Hehe!

Grmpf! Dann versuche ich es oben mit dem Telelasso!
DWOING

Hehe!
SCHRAPP

DWOING
O nein!

Wenigstens einen Dumm-
kopf hast du heute
gefangen, hähä!
Grrr!

Hmpf! Heute Nacht habe ich
einfach kein Glück!
BZUPP

Da! Schon wieder ein
Einbrecher!
Na warte!
JUWELIER

Den schnappe ich mir, so wahr
ich Phantomias
heiße!

Mein Phantorang ist einfach unfehlbar!
WUSCH

ZWUSCH
Ätsch!

Autsch!
BONK

Seufz! Ich bin heute einfach nicht in Form! Ich gebe auf und gehe nach Hause!

Am Morgen des nächsten Tages...

Mampf!
Du hast heute ja einen Bärenhunger, Onkel Donald!
BUTTER
HONIG

Ich habe mich auch ganz schön verausgabt!
Aber du tust doch den ganzen Tag nichts!

Ich denke! Ist das etwa nichts?

Gähn... Ich muss mich jetzt ausruhen!

Seht euch den an! Das nennt er also denken!
Zzz...

Gehen wir spielen, damit wir ihn nicht stören!

Am Tag muss ich mich nun mal entspannen, damit ich nachts fit bin!

„Als Phantomias, der Held der Nacht!“
Wo seid ihr, ihr Schurken? Heute nehme ich es mit euch allen auf!

Ah, da ist ja schon
mein erster Kunde!
Der kriegt meine Schurken-
kugel zu spüren!
PSCHUFF
DOTZ
SCHWAPP
O nein!

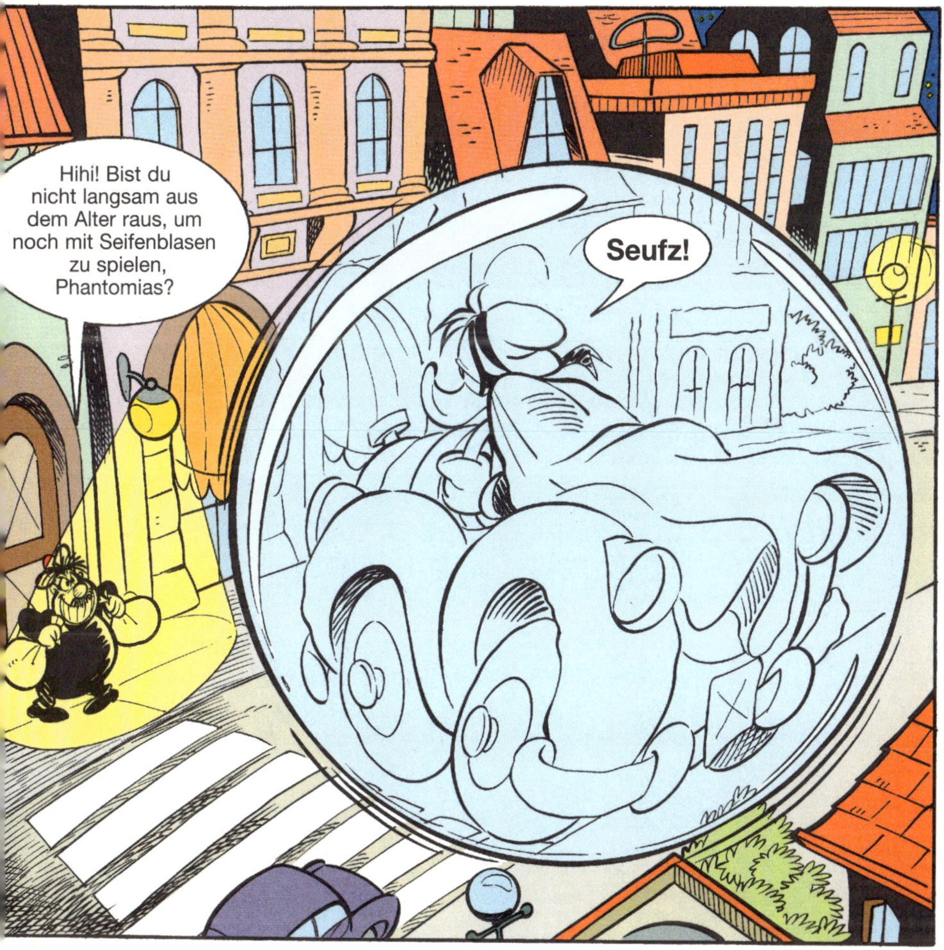

Hihi! Bist du nicht langsam aus dem Alter raus, um noch mit Seifenblasen zu spielen, Phantomias?

Seufz!

ZAPP
SCHLUPPS
So geht es die Nacht lang weiter…

Hahaha!
ZWUSCH

Seufz! Ich bin eine Witzfigur! Als Superheld völlig untragbar!

Da! Noch ein Dieb!

Dich kriege ich!
ZAPP
KINO
KINO

Keine Meisterleistung, Phantomias!

Vielleicht solltest du den Beruf wechseln!

Niederschmetternd! Ich würde nicht mal einen Elefanten treffen!

Was mache
ich nur falsch?
Genau! Ich hab's!
Jetzt weiß ich,
was zu tun ist!

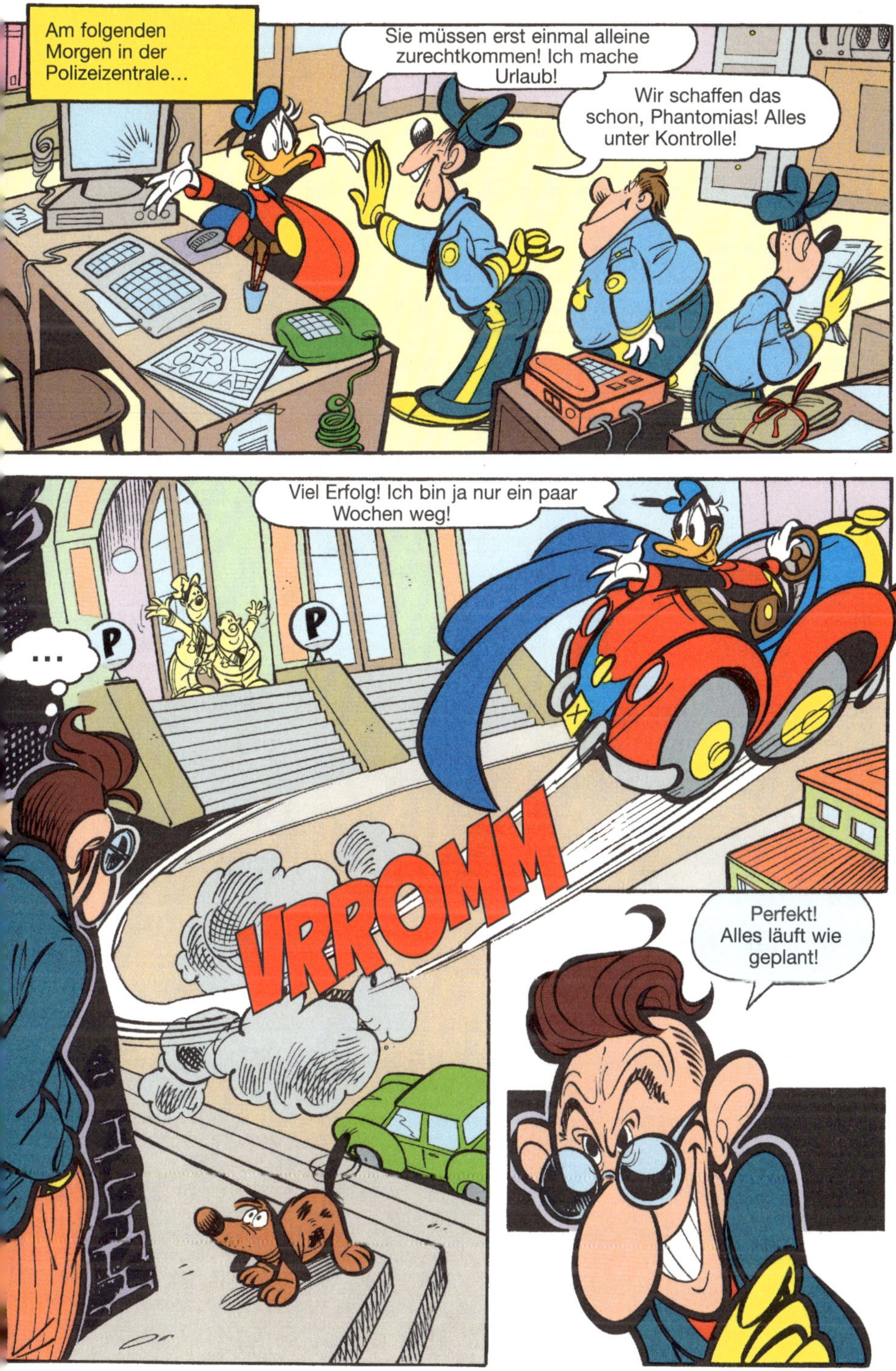

Viel Erfolg! Ich bin ja nur ein paar Wochen weg!

…

VRROMM

Perfekt! Alles läuft wie geplant!

Etwas später, auf dem Land…

Warum bin ich nur so nervös?
Da bist du nicht der Einzige!

Was wir heute geladen haben, ist viele Millionen Taler wert!

Deshalb werden wir ja auch bestens beschützt!

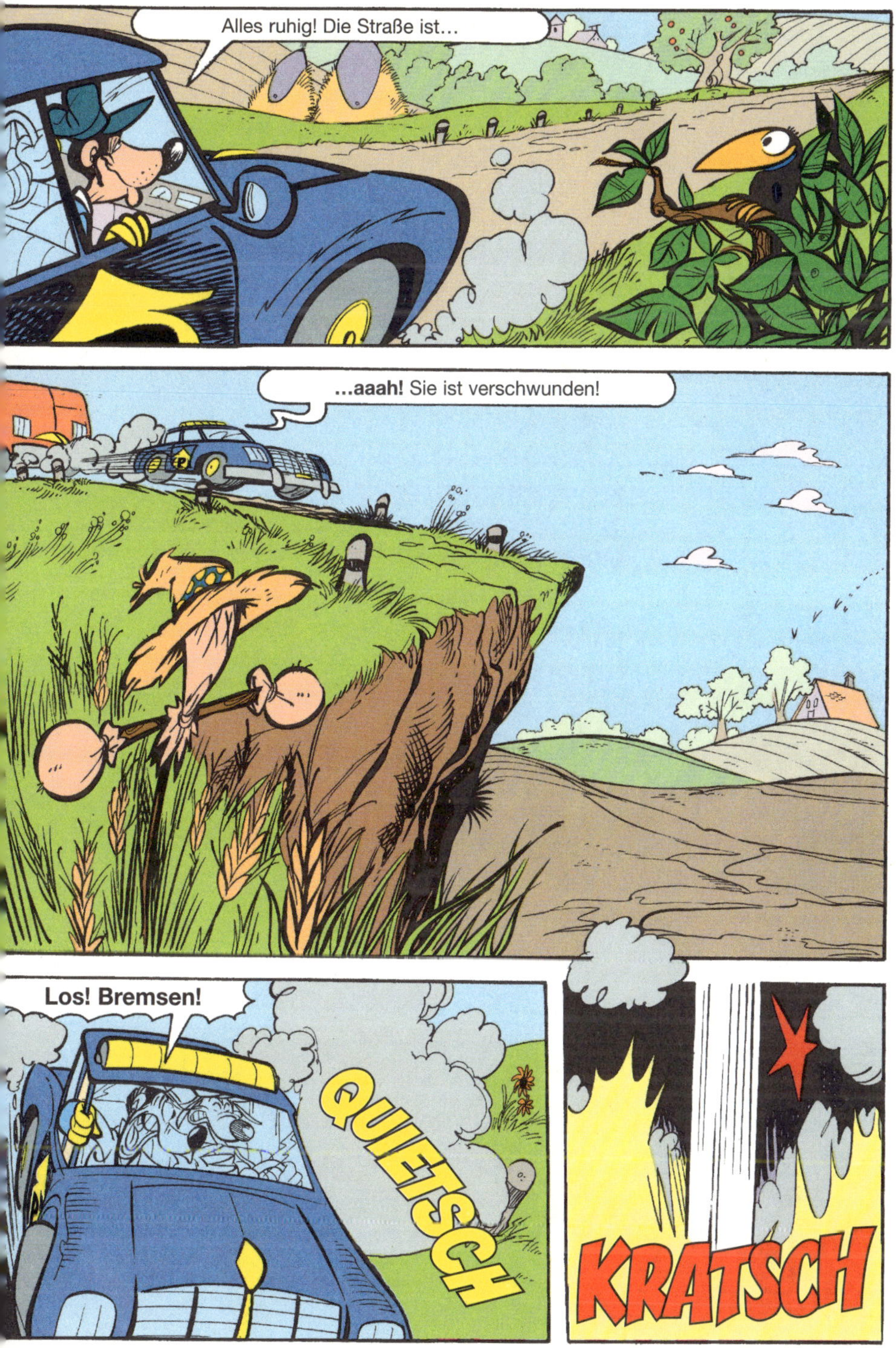

…aaah! Sie ist verschwunden!

KRATSCH

Ächz!

Haha! Die sind bedient!

Und jetzt schnappen wir uns die Goldbarren!

Aussteigen! Aber dalli!
Und keine Mätzchen! Wir spaßen nicht!

Haha! Jetzt bin ich reich! **Superreich!**

All das verdanke ich meinem Illusionator!

Er hat den Wachleuten, die vor dem Transport herfuhren, eine Straße vorgegaukelt, wo gar keine war!

Aber mein Meisterwerk ist und bleibt, wie ich Phantomias aus dem Weg geräumt habe!
DUCK BANK

Ach ja?
Schluck! Du? Aber...
SWUSCH
Erst mal eine saftige Ladung Blockier-strahlen!
ZAPP
Pah! Da verdrücke ich mich doch lieber!
Nur zu! Das ist eine...
SCHWIRR

…meiner leichtesten Übungen! **Hepp!**
WUTSCH
Uaaah!

Na also! Schnelligkeit, Präzision und Taktik! Eine Aktion, wie sie im Buche steht.

Wolltest du nicht in Urlaub fahren?
Das war nur eine Illusion! Damit kennen Sie sich doch aus, oder?

hre vorgegaukelten Gauner waren wirklich sehr überzeugend! Darauf bin ich glatt reingefallen!
DUCK

Ich konnte sie nicht fangen… da es sie gar nicht gab!

Und wann hast du das geschnallt?

„Der letzte, den ich verfolgte, lief einfach weiter, ohne auf den Bananenschalen unter seinen Füßen auszurutschen!“

IRKUS

Da bin ich misstrauisch geworden! Mir fiel auf, dass auch in den anderen Fällen etwas nicht gestimmt hatte.

Einer der Ganoven stand im Regen, ohne nass zu werden! Ein anderer warf keinen Schatten und ein dritter hinterließ keine Fußspuren!

Während der Verfolgung war mir das entgangen, aber später wurde mir klar, was hier gespielt wurde.

Ich war sicher, dass mich jemand beobachtete. Also täuschte ich den Urlaub vor.
Das war also eine Falle!

Genau! Der Goldbarrentransport war für jeden Räuber ein gefundenes Fressen!

Grrr! Und ich bin darauf reingefallen!
Hihi! Sie sind auf der Bananenschale ausgerutscht, die Sie selbst weggeworfen haben!

Und so, in der nächsten Nacht…
Alles ruhig! Ich kann mit meiner Arbeit zufrieden sein!
HOTEL

Sieh da, ein Räuber!
KAU-GUMMI
BAR

Halt!
ZISCH
Huch! Phantomias!
BAR

KAU-
GUMMI
Schon gut! Ich gebe auf! Gegen dich habe ich keine Chance!
Hihi! Mein Ruf als Super-held eilt mir wohl voraus?

Du hast Glück! Heute drücke ich ein Auge zu!
?!

Aber lass dich ja nicht noch einmal erwischen!
Auf gar keinen Fall!

Bloß weg, ehe er es sich anders über-legt! Mann, das glaubt mir keiner! Oder war das etwa nur eine Illusion?
ZISCH
ENDE

Created 2001

Gaja Arrighini (Story), **Valerio Held** (Zeichnungen)

Wieder neigt sich eine lange Nacht dem Ende zu…
Es gibt Arbeit, Kollegen!
Letzte Lieferung für heute!
PATSCH

Uff! Ich bin wie erschlagen! Ich kann mich kaum noch auf den Beinen halten.

Und einen Kohldampf habe ich…
GRUMMEL

Oh!
Tag!

Entweder eine Hungerhalluzination oder…

…ich brauche Urlaub vom Heldentum!
Aber nicht gerade jetzt, Phantomias!

Ich komme extra aus der Zukunft, um dich zu sehen!

Wer bist du?
Ich bin Daniel Düsentrieb! Oder besser, eines seiner Ichs!

Und ich bin hier, um jenem Ich zu helfen, das du kennst.

Wie? Was?
Also noch mal…

Ich bin gekommen, um dir zu erklären, wie man eine Zeitmaschine baut.

Damit kann man in jede Zeit und jede Dimension reisen, klar?
Klar wie gequirlte Kohl-suppe!

Wer beweist mir, dass du der bist, der du sagst, dass du bist?
Ich! Kein Problem!

Diesen Knopf für den Schleudersitz verwechselst du ständig mit der Hupe.
Das weiß nur Herr Düsentrieb!

Und der bin ich! Zumindest auch! Hörst du mir jetzt endlich zu?
Äh… ja!

lan erklärt,
is endlich…
Verstanden?
Ich hoffe!

Danke! Und tschüs!
POFF

Bald...
Wie bringe ich Herrn Düsentrieb nur bei, dass er selbst mich zu sich geschickt hat?
DANIEL DÜSENTRIEB ERFINDER & GENIE

Hallo! Oh, was ist das denn?
Du hast mich bei meinem Hobby ertappt, Phantomias! Das Gärtnern lässt meine Ideen sprühen.

Das wird auch bitter nötig sein, wenn Sie kapieren wollen, was ich Ihnen gleich vorstammeln werde.

Man stammelt sich also durch, bis...
Nun, wie finden Sie das?
Grandios! Ich bin stolz auf mein künftiges Ich! Eine tolle Erfindung ist das!

Augenblick! Warum wendet Ihr Ich sich eigentlich an mich, statt…

…direkt an Sie selbst?
Weil ich die Maschine nicht alleine bauen kann!

Dafür brauche ich die Hilfe von jemandem, dem ich blind vertraue.
PLÄTSCHER

Noch was… Wieso war Ihr künftiges Ich so klein?
Oh, das ist ganz einfach…

ch nehme das als Beweis für die vissenschaftliche Theorie, die esagt, dass das Universum chrumpft. In Zukunft wird alles immer kleiner.
DANIEL DÜSENTRIEB
ERFINDER & GENIE

Wir beide wären in der Zukunft also die reinsten Riesen?
Genau!
Aber lassen wir die graue Theorie beiseite…
…und machen uns unverzüglich an die Arbeit!
SCHEPPER
SÄG
RASSEL
POLTER
KLONK
Wenig später…
Schon fertig!
Aus-sehen tut es ja nicht nach viel.

Und funktionieren tut sie auch nur zweimal!
Was? Nach all der Mühe?

Leider gibt es auch bei einem Genie keine Garantie auf Perfektion.
Ist es gefährlich?

Wie gesagt...
Schon gut! Gehen Sie! Ich mache meinen Teil.

Nur tröpfchenweise zugeben, hat er gesagt.

PFUMP
SCHNAUF
TÜDELÜÜ
Gute Reise, Herr Ingenieur!

Viel später…
Das Zeug ist alle! Wo bleibt nur der Herr Ingenieur?

Besser, ich sehe mal na… **aaah!**
WUPS

Herr Düsentrieb! Alles klar?
Klarheit ist relativ!

Für das, was ich sah, gibt es keine Worte!
So?

Sie werden trotzdem welche finden! Aber ein-fache, bitte!
Ich versuche es, Phantomias!

Mein künftiges Ich ließ mich diesen Apparat bauen, um mir die Wunder der Welt zu zeigen.

Und es hat funktioniert! Was wiederum kein Wunder ist, bei einem Genie wie mir.
Pah!

Eigenlob müffelt, Meister!

Du hast recht! Kurz gesagt, ich habe viele fremde Welten besucht!

„Zuerst kam das Land der Schatten."

„Und rate, wen ich dort gesehen habe…"
Unverwechselbar! **Hehe!**

„Dann ging es in Richtung Zukunft…"

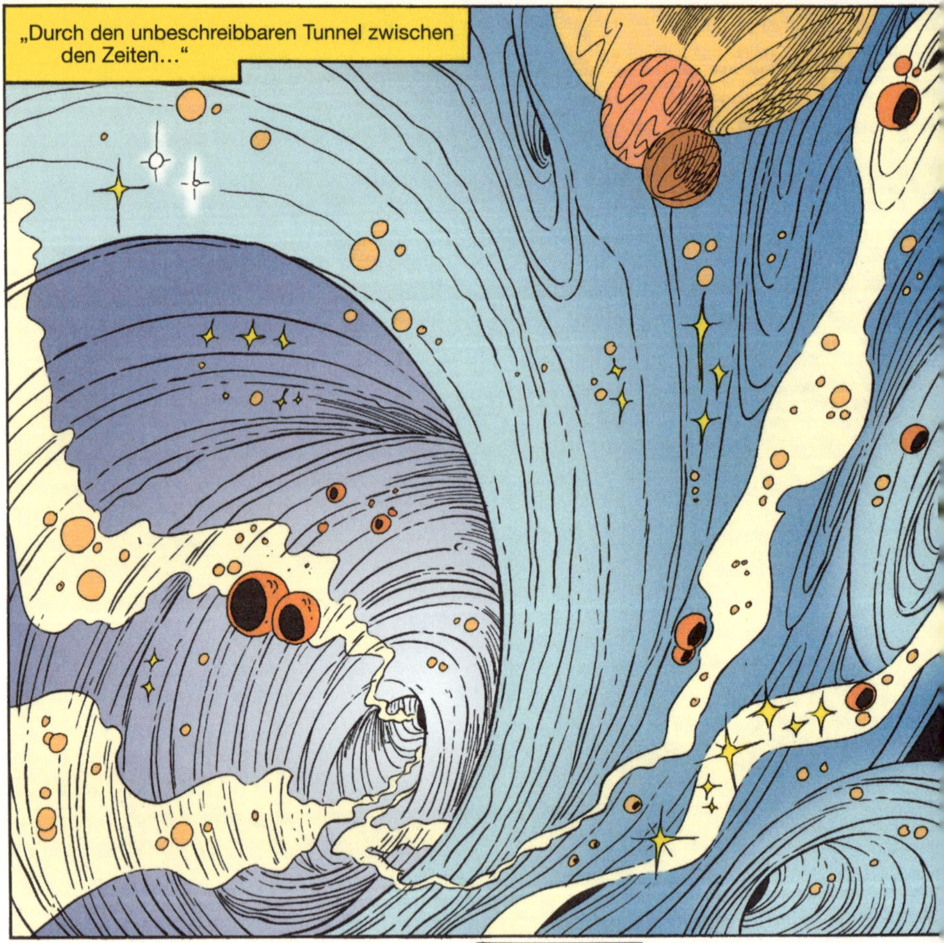

„Durch den unbeschreibbaren Tunnel zwischen den Zeiten…“

„Der Anblick der Paralleluniversen war jedenfalls spannender!“

Was für eine tolle Erfahrung!
Das Tollste kommt noch… die Spiegelwelt!

„Da ist alles wie in Entenhausen, nur umgekehrt!“

„Dagobert Duck heißt dort Trebogad Kcud und ist bettelarm! Gustav Gans…“

„…heißt Vatsug Snag und hat immer Pech!“

Ha! Das hätte ich gern gesehen!
Hihi!
Aha! Eine neue Welt!

So eine Chance lässt man sich nicht entgehen! **Harhar!**

Huch! Das bin ja ich!
Im Gegenteil, sozusagen!

Ich bin Saimotnahp!
WUTSCH

Obacht!
ZISCH

Du meine Güte! **Hust! Keuch!** Dein Ich aus der Spiegelwelt muss mir gefolgt sein!

Natürlich ist er ein Superschurke!

ZISCHEL

Er darf nicht entwischen!

Harhar!

Bald herrscht hier die blanke Panik.

DANIEL DÜSENTRIEB ERFINDER & GENIE

Halt!

Pah! Unsereiner kennt kein Halten! Das solltest du wissen!

Was wir uns vornehmen, führen wir auch aus.

Und ich habe mir vorgenommen, diese Stadt zu zerstören!
RUMPEL
Hilfe!

Nicht wenn ich es verhindern kann!
Kannst du aber nicht, Bruderherz! **Harhar!**
ZING

Aaargh!
FRATZ

PLUMPS
Phantomias?

Mir geht es gut! Aber dem Rest der Stadt… **oje!**
SPLOTSCH

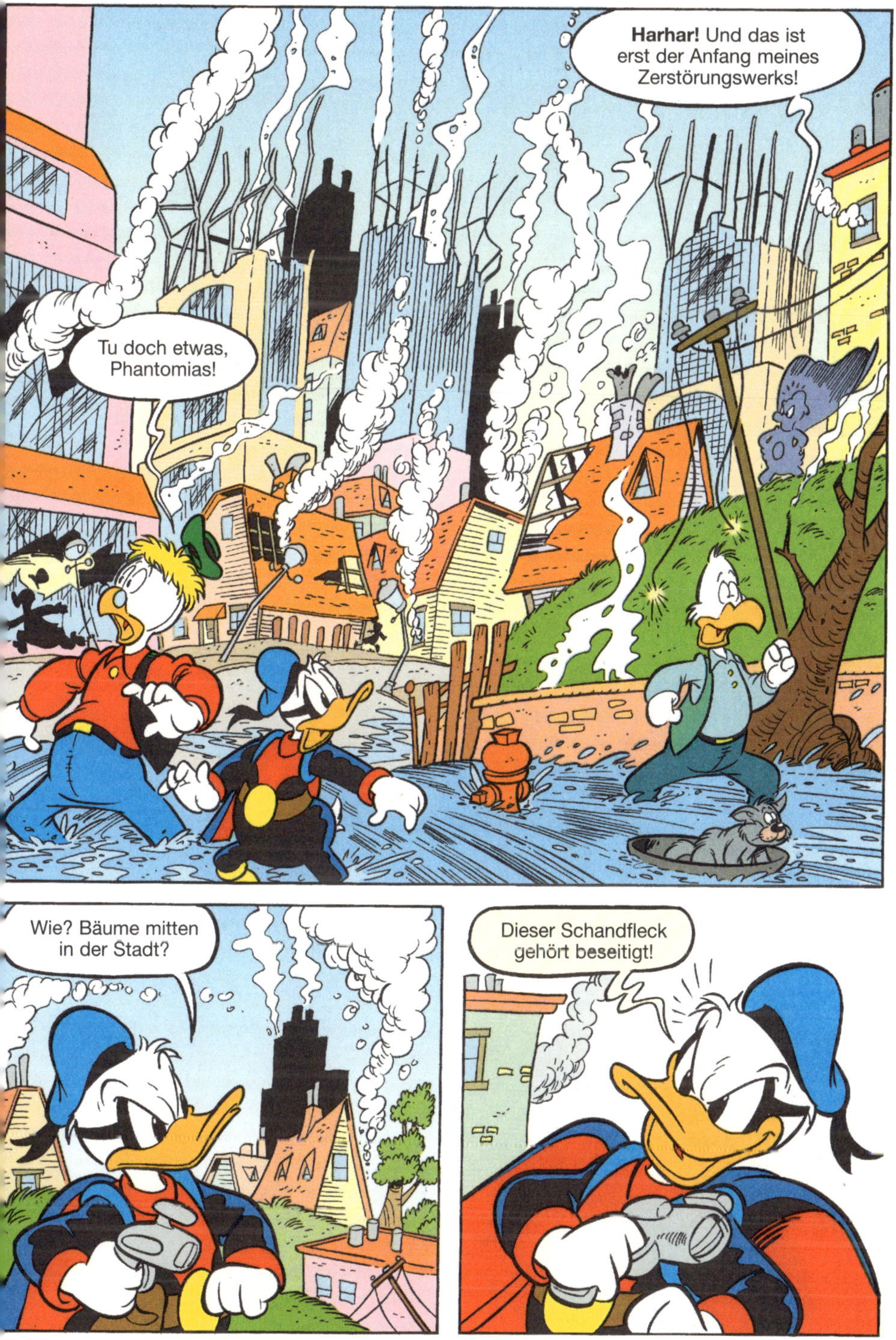

Harhar! Und das ist erst der Anfang meines Zerstörungswerks!

Tu doch etwas, Phantomias!

Er will das letzte bisschen Grün vernichten!
Halt!
Seien Sie doch vernünftig!
Nicht wenn es um Pflanzen geht!
Da bricht der Gärtner in mir aus!
Der kommt mir wie gerufen!
Da habe ich endlich mal Gelegenheit, meine neue Kokon-kanone zu testen!
WITSCH WITSCH WITSCH
Was... was wird das?
Ein Kokon, du hässlicher Schmetter-ling!
Wünsche wohl zu schlüpfen! **Hehe!** Ich mache derweil die Flatter!

Herrje!
Nicht, Phantomias! Du kannst nichts tun!

Den Kerl kaufe ich mir!
Sinnlos! Es gibt nur eine Chance… die Zeitmaschine!

Du musst in die Vergangenheit reisen und verhindern, dass er überhaupt hier auftaucht!
Hm… gut!

Hoffentlich funktioniert der Apparat noch.
DANIEL DÜSENTRIE
ERFINDER & GEN

Aber selbst wenn… alleine kann ich die Zeitmaschine ja doch nicht bedienen.

Pah! Was rede ich da? Seit wann gibt es etwas, was Phantomias nicht kann!
Wenn ich an so einem Problem scheitern würde, hätte ich die Superheldenprüfung nie bestanden.
Gleich darauf befindet sich Phantomias zwischen allen Räumen und Zeiten…
Herr Düsentrieb hat gesagt, dass ich von hier aus an jeden beliebigen Ort zu jeder beliebigen Zeit komme.

Also los!

Geschafft! Jetzt muss ich Saimotnahp finden.

Na, vielleicht kann ich mir die Sucherei sogar sparen. Ich frage mal den Polizisten!

Hallo, Wacht-meister!
Nanu? Saimotnahp!

Natürlich! Der hält mich für mein kriminelles Spiegel-bild!

Keine Panik! Ich bin nicht, was Sie glauben, dass ich bin! Ich sehe nur so aus!

Frage: Was heißt das?
Ich gehöre zu einer Spezialeinheit, die Superschurken wie Saimotnahp schnappen soll.

KLÖPFL
Falsche Antwort!

Hallo! Aufwachen!

Ich habe alles gesehen! Du bist nicht Saimotnahp!
Aber ich suche ihn!

Dann komm mit! Ich weiß, wo sich der Halunke herumtreibt.
Verflixt! Stimmt ja! In der Spiegelwelt sind die Polizisten Gauner und die Ganoven ehrenwerte Leute.

Dieser Schrottplatz ist sein Schlupfwinkel! Viel Glück!
Danke!

Gut! Jetzt kann die Spiegelfechterei beginnen! **Hehe!**

Hmpf! Was ist denn das für ein Witzbold?
UIUIUIUI

WAPP
Oh!

Verflixt!
Hochstapler!

Falsch! Ich bin echt und du eine schlechte Kopie!

Warte, ich zeige dir, wie gut ich als böser Bube bin!
Oh!

Hehe! So etwas prallt doch locker an mir ab!

Dafür ziehe ich dir einen Scheitel mit dem Laser!
ZISCH

Hol's der Geier! Vorbei!

Das trifft es genau! Vorbei für dich!

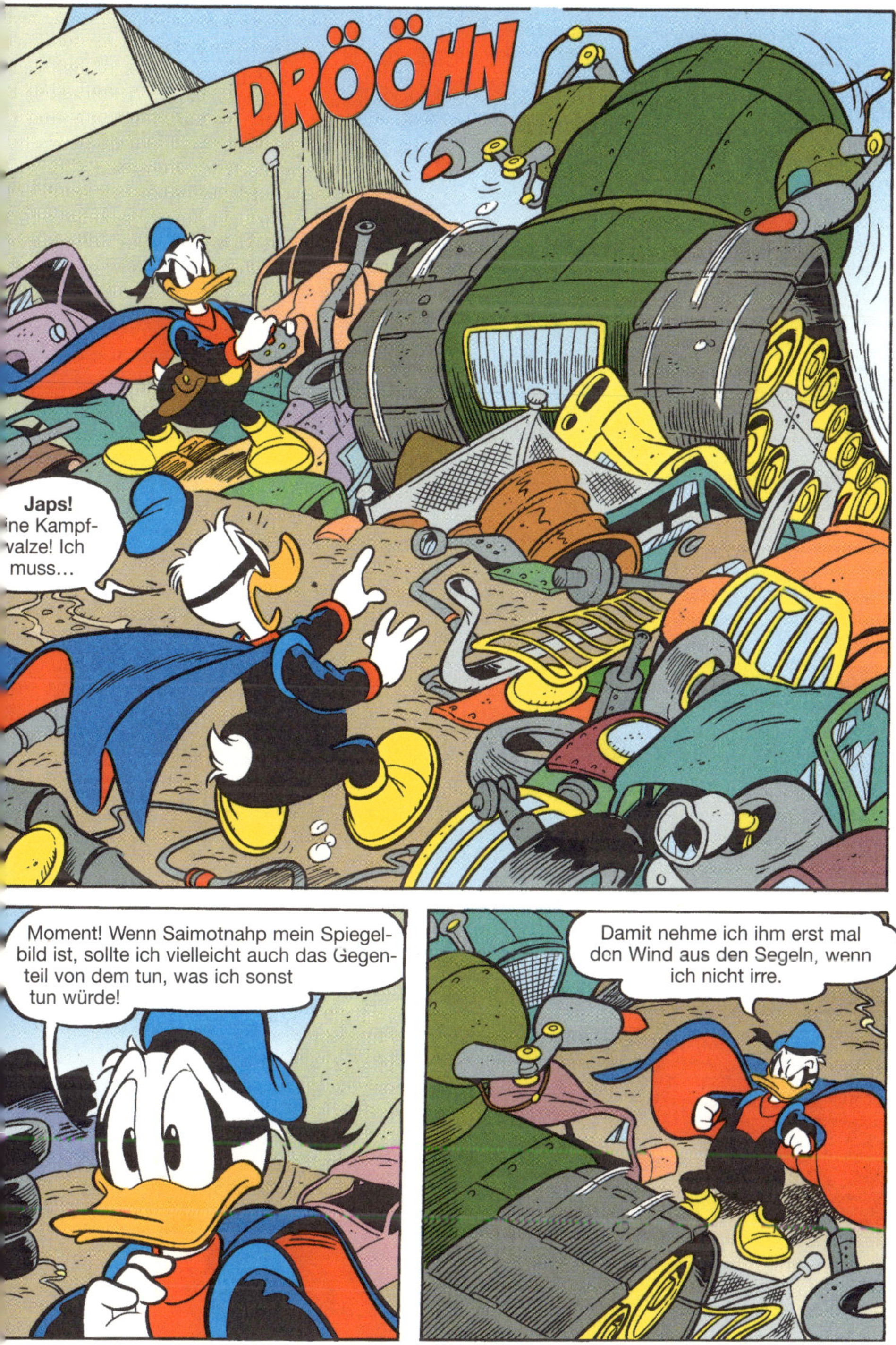

DRÖÖHN

Japs!
ine Kampf-
valze! Ich
muss…

Wenn doch, sehe ich ziemlich alt aus!

Aha! Ich wusste es! Ein Hologramm!
POFF

Glückstreffer! Trotzdem kriegst du mich nicht am Wickel!

Doch! Weil ich es erst gar nicht versuche!

Nanu? Wo bleibt er denn?

Umpf!
KRACH

So langsam kapiere ich, wie es in dieser Welt läuft!

He!

Tag!
Herr Düsentrieb!

Leinad Beirtnesüd ist der Name! Erfinder und Ganove!

Und diese schnell wachsende Schlingpflanze ist eine meiner Erfindungen! Hehe!

Bald bist du Bestandteil der Botanik! Hähähä!

Kaum! Ich führe stets einen Schlingpflanzenschneider bei mir.
SURR

Und das ist nicht alles!
WITSCH

Uff!
POCK

So! Die wären fürs Erste unschädlich gemacht. Jetzt sorge ich dafür, dass sie es bleiben.

Bald, bei der Raum-Zeit-Schleuse…
Ab mit ihnen in die Welt der Ganoven! Da fallen sie nicht weiter auf.

Nun zurück nach Entenhausen! Ich hoffe, der Düsentrieb'sche Plan ist aufgegangen.

SAUS

POLTER

W-wo bin ich?
Zu Hause, Phantomias!

Herr Düsentrieb! Alles in Ordnung?
J-ja!
SPRITZEL

Oh! Die Zeitmaschine löst sich auf.
Das war zu erwarten! Du erinnerst dich doch sicher, ich habe dir gesagt, dass man sie nur zweimal benutzen kann.

Habe ich es geschafft...
...die Ordnung im Universum wiederherzustellen? Und ob!

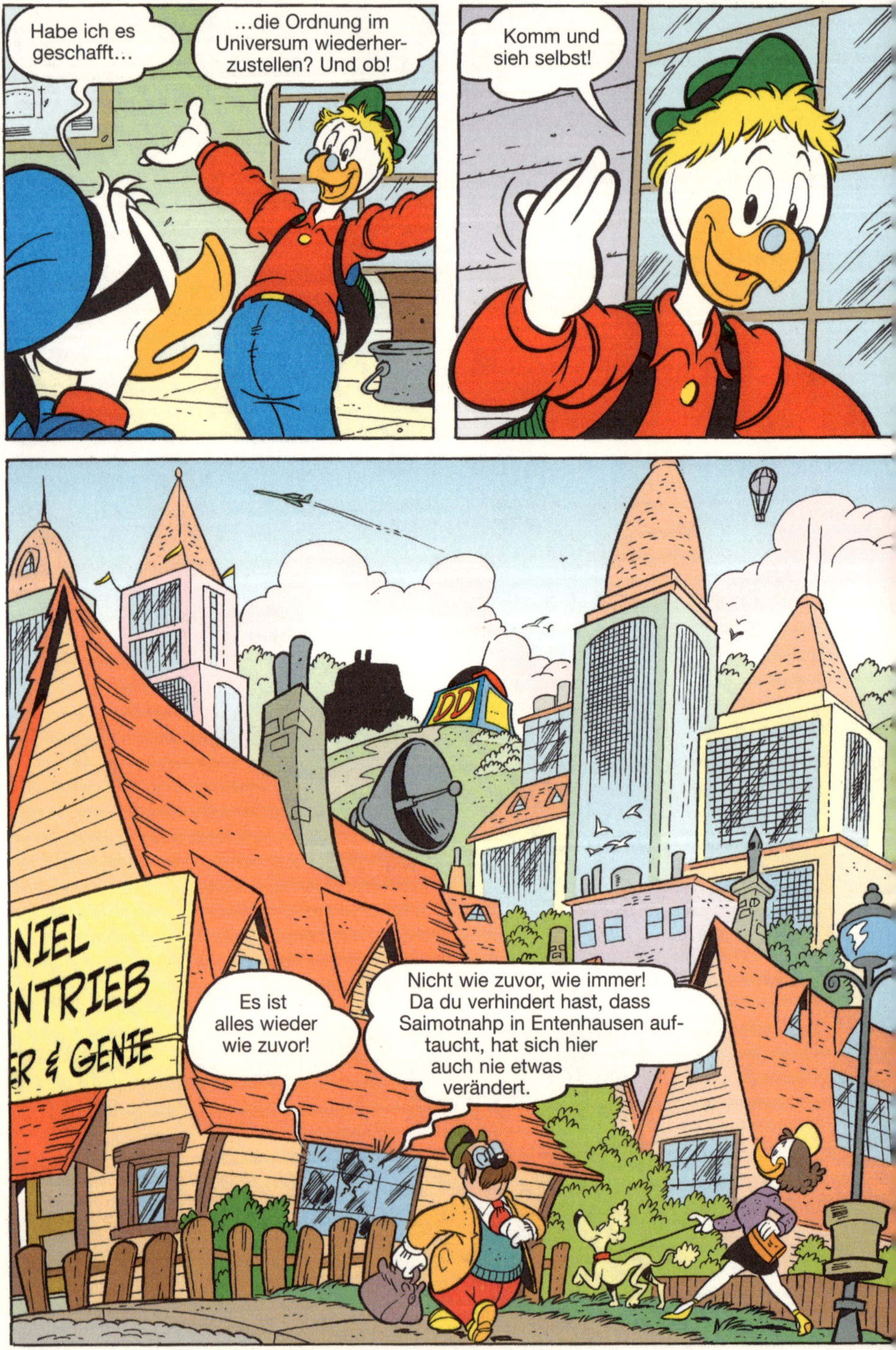

Komm und sieh selbst!

Es ist alles wieder wie zuvor!
Nicht wie zuvor, wie immer! Da du verhindert hast, dass Saimotnahp in Entenhausen auftaucht, hat sich hier auch nie etwas verändert.

„Nur wir beide wissen, welche Katastrophe wir abgewendet haben…“

Aber eines will mir nicht recht einleuchten!

Warum haben Sie nicht daran gedacht, dass die Erfindung…
DANIEL DÜSENT
ERFINDER

…einer Zeitmaschine eine Menge Gefahren für unsere Gegenwart mit sich bringen kann?

Daran habe ich nicht gedacht, weil es nicht meine Idee war!

„Du hast mir doch erklärt, wie man so eine Maschine baut! Ich wäre nie auf diese Idee gekommen.“

Gut, aber
bin ich etwa ein
Erfinder?

Ich habe doch nur wiederholt,
was Ihr Ich aus der Zukunft
mir gesagt hat!

An diesem
Ich zweifle ich
allmählich!
Was soll das
heißen? Ich habe es
doch selbst ge-
sehen!
NIEL
NTRIEB
R & GENIE

Die Maschine hat ja
wohl nicht selbst be-
stimmt, dass sie geb
werden will, oder?
DANIEL
DÜSENTRIEB

Jedenfalls scheint
das die einzig logische
Erklärung zu
sein.

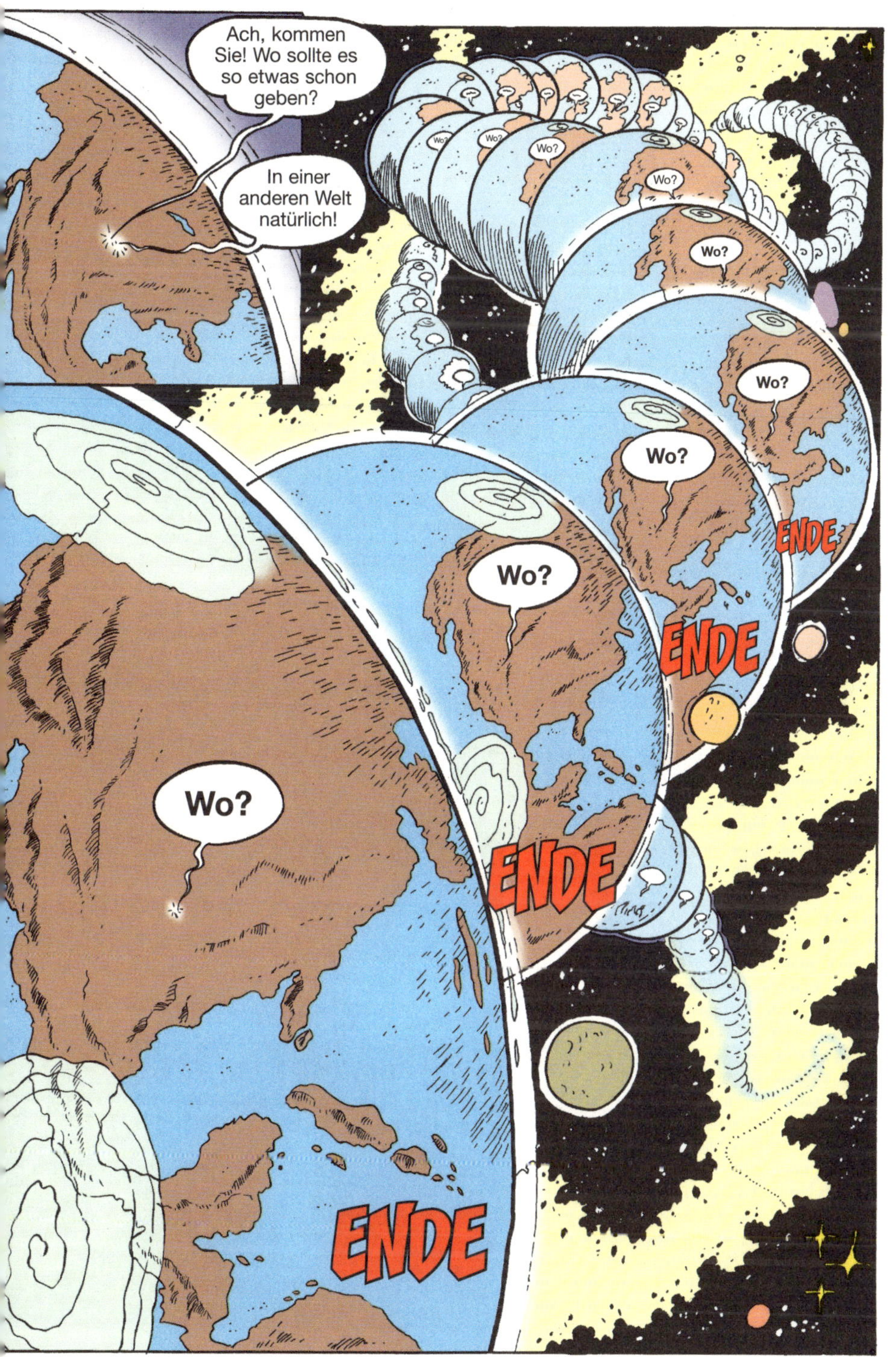
Ach, kommen Sie! Wo sollte es so etwas schon geben?
In einer anderen Welt natürlich!
Wo?
Wo?
Wo?
Wo?
Wo?
Wo?
Wo?
Wo?
ENDE
ENDE
ENDE
ENDE

Bruno Concina (Story), **Danilo Barozzi** (Zeichnungen)

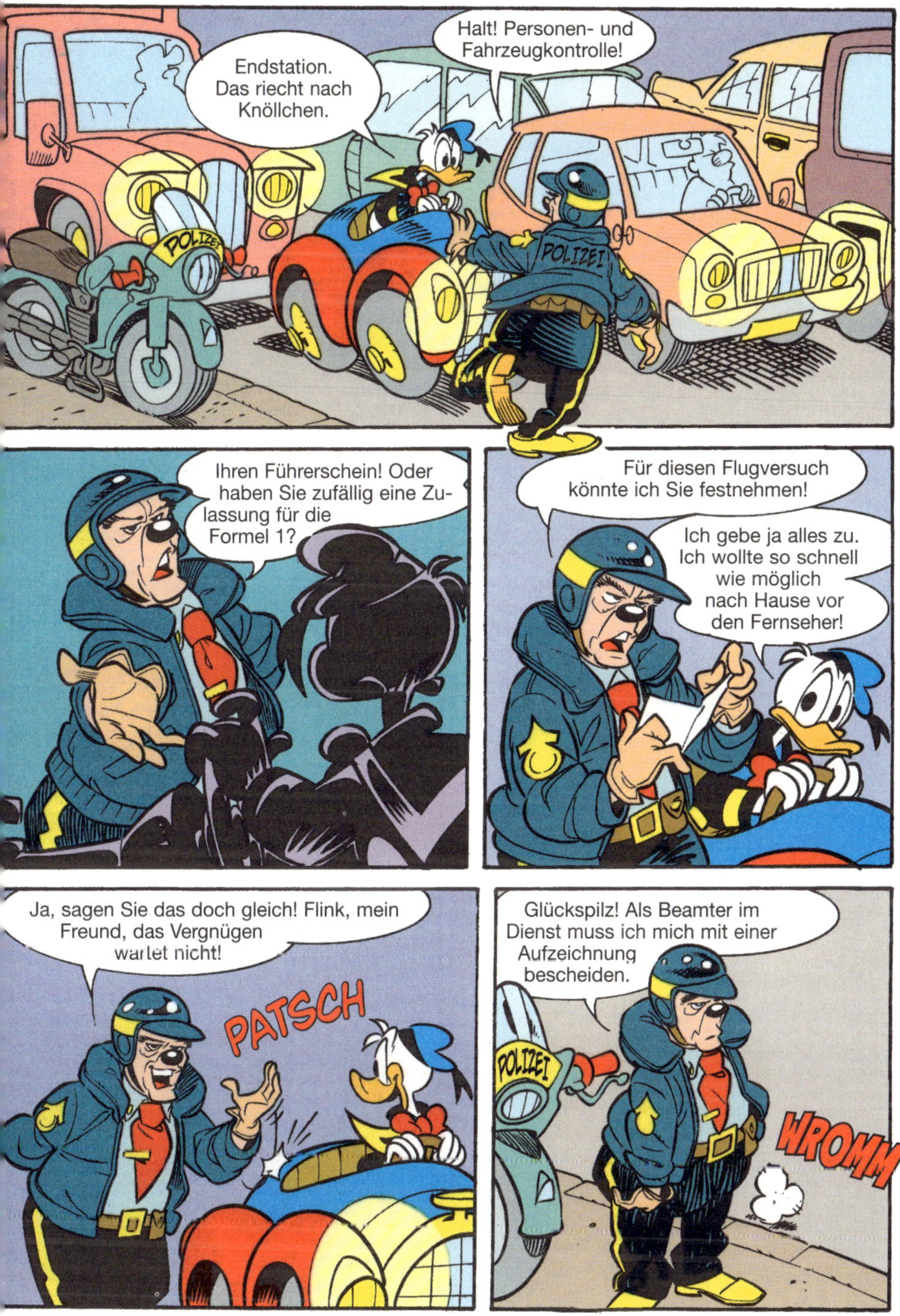

Endstation.
Das riecht nach
Knöllchen.

Halt! Personen- und
Fahrzeugkontrolle!

Ihren Führerschein! Oder
haben Sie zufällig eine Zulassung für die
Formel 1?

Für diesen Flugversuch
könnte ich Sie festnehmen!

Ich gebe ja alles zu.
Ich wollte so schnell
wie möglich
nach Hause vor
den Fernseher!

Das wird knapp! Ich höre schon die Titel-melodie!
BREMS

Ächz! Keuch! Bin ich zu spät, Jungs?

Nein! Auf die Sekunde genau!

Fantastisch!

Alles Phantomias
(oder was!?)
Walt Disney

Heute Abend begrüßen wir einen ganz besonderen Kandidaten zu unserem Quiz!

Herrn Sven Savoir, dem der Ruf eines Fachmannes für Phantomias-Fragen vorauseilt!

Abwarten!
Den von gestern Abend hat es bei der zweiten Frage verspult!

Sieht nicht sehr helle aus!
Nimm die Sonnenbrille ab!
PANZER-KNACKER AG

Wie wird man eigentlich Experte für Phantomias?
Oh, am Anfang standen die Verehrung...
LETZTE KNEIPE VOR DEM KNAST
JOE

...und das Bedürfnis, alles über meinen Helden zu wissen. Na ja, und so kam das eben...

Nur Phantomias weiß alles über Phantomias. Und ich. Weil ich er bin.

Kommen wir nun zu der ersten Frage des Abends! Vor...
TV ENTEN-HAUSEN

...ein paar Jahren arbeitete Phantomias in Teilzeit. Wieso das?
Ganz einfach!

*Nachzulesen in LTB Ultimate Phantomias 19, „Auswärts raubt sich's besser“.

Kommen wir deshalb zur zweiten Frage.
Gut!
GEFÄNGNIS ENTENHAUSEN

Nennen Sie uns zwei Superschurken-Gegner von Phantomias, die in der Öffentlichkeit...

...bis heute unbekannt sind!
Kinderspiel! Nehmen wir Megaschrubber, der einen Putzwahn auslösen kann, oder Superpssst, der vergessen machen kann, dass es ihn gibt!

Äh... nicht nur der Öffentlichkeit, auch den Experten sind die Namen unbekannt!
Die kennen nur Sven und Phantomias!
Ist das so? Ich erinnere mich auch nicht...
Zur dritten Frage. Es geht um den „Parkbankraub“!
Ah, ein hübsches Beispiel für die Dämlichkeit der Panzerknacker!
A-aber...
Seine Dämlichkeit, genau gesagt!
RANGEL
RÜTTEL
WALK
PANZERKNACKER AG
Unendlich blamiert haben wir uns seinerzeit!
Bloß weil er zu blöd für einen schlauen Plan war!
167-761

Gratuliere und bis morgen Abend! Sie haben die erste Runde perfekt gemeistert!

Und ihr versagt wieder mal mit fliegenden Fahnen, verflixt!
Wobei?

Dabei zu kapieren, dass uns das größte Ding aller Zeiten winkt! Hört zu... bla, bla... bla, bla...

KRATZ
KRATZ
Du hast recht! Aber die Sache ist zu groß für uns allein!
BEGNADIGT
176-176

Gebt bei der IG Bandenwesen Bescheid! Wir schlagen gemeinsam zu!
PANZER-KNACKER AG

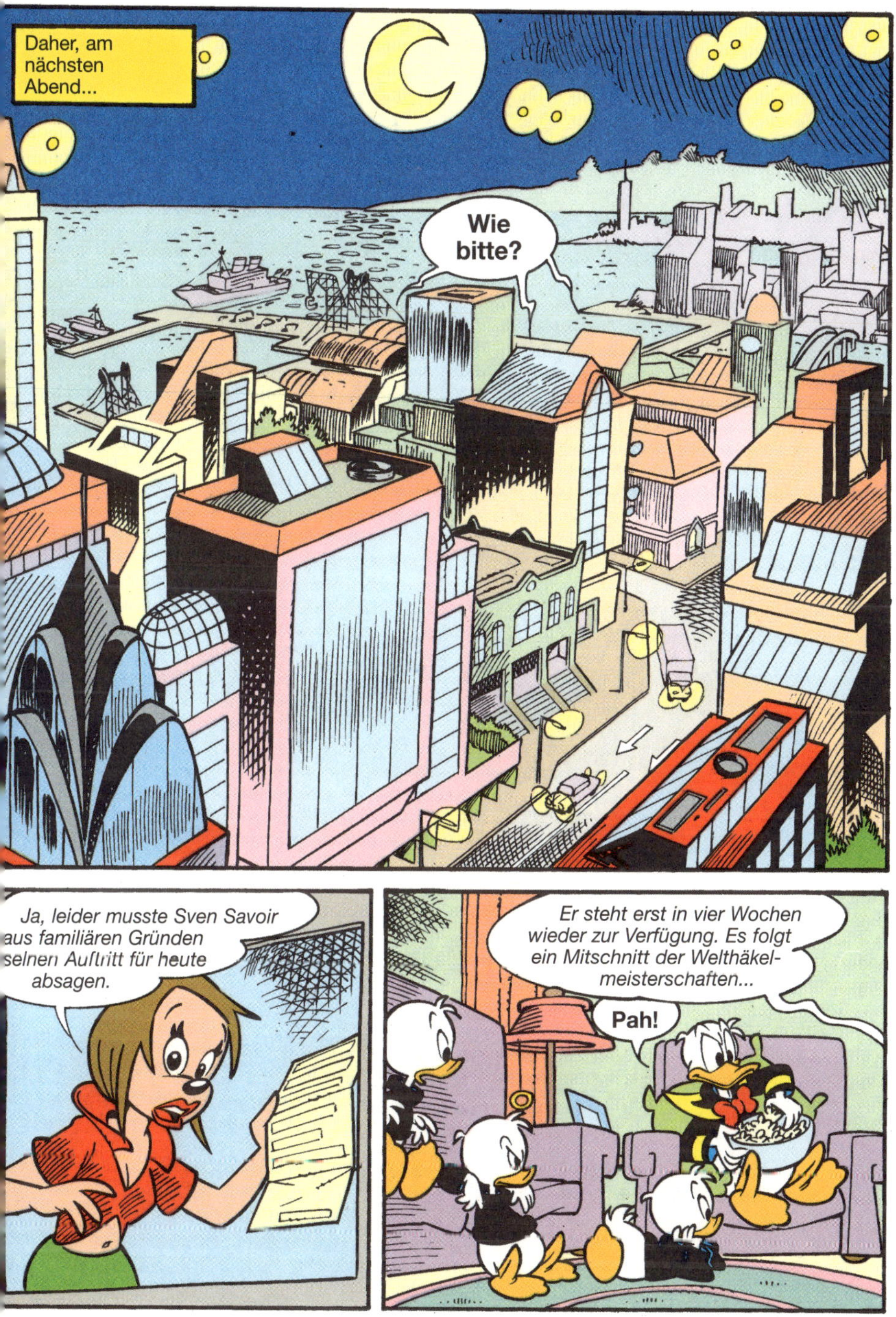

Daher, am nächsten Abend...

Wie bitte?

Da haue ich mich lieber aufs Ohr, Leute!
KLICK
Aber mit Anlauf!
Schade, der Kerl hatte wirklich was auf dem Kasten.
Ich werde die unverhoffte Chance nutzen und meine tägliche Runde ein bisschen früher machen.
Singst du nun endlich, du komischer Vogel?
Keinen Ton!
SCHURKENSCHAFT ENTENHAUSEN HAUPTQUARTIER

Und um keinen Preis der Welt!
Daran haben wir nicht gedacht. Was ein echter Fan ist, der gibt für sein Idol einfach alles.
Nichts wird mich dazu bringen, meinen Helden zu verraten!
Geben wird er! Denn es gibt Mittel und Wege...
Tetron! Willst du ihn etwa...
...überzeugen! Bei mir ist noch keiner stumm geblieben.
Zum Glück habe ich immer meinen „Werkzeugkoffer“ zur Hand, hehe!

Was haben Sie mit mir vor? Daumenschrauben? Glühende Eisen?

Ich muss doch bitten! Ich bin Künstler, kein gemeiner Folterknecht!

Jahuuuu!
Frisch ans Werk!

Hahaha!
Ich kann nicht hinsehen!
Grauenvoll! Da sage mir noch einer, dass Lachen gesund sei!
6-176

Später...
Phantomias! Weg hier!
Sieh an!
BANKHA
ZACHARIAS

Vergebliche Mühe! Ich pflücke euch doch vom Baum, ihr Pflaumen!

Nebelwerfer? Nicht übel! Aber ein Phantomias behält immer den Durchblick!

Sieht so aus, als würde der Plan perfekt hinhauen!
Während die Kollegen den maskierten Moralapostel ablenken, räumen wir den Laden aus!
KASSE
KASSE
T
T
T
T

KARTÄTSCH

Niederlagen sind heilsam. Sonst macht das Gewinnen ja keinen Spaß mehr.
ZISCH!

Das ist allerdings erst der Anfang einer harten Nacht…

Doch bald…

Ind es nimmt
ein Ende...
Das war's, Sigi!
Das war's
für dich!

Hände hoch, du
halber Held!
Was?

Das ist das
erste Mal, dass man
mich beraubt.
Wenn sich rum-
spricht, wie knapp du bei
Kasse bist, war's auch das
letzte Mal!

Rührt euch nicht, bis
mein Komplize es
sagt!

Okay, ihr
könnt euch aus
dem Staub
machen!
Ein ferngesteuertes Ton-
band? Das nenne
ich dreist!

Doch...
So sieht man sich wieder, Sigi!

Diesmal wanderst du hinter Gitter, Freundchen!
Bist du sicher?

Hände hoch, du halber Held!
Denkst du, der Trick zieht zweimal?
Ja. Und er zieht dir eins über!

KLOPS

Wie ist dir?
Das sage ich nicht. Es wird eh gestrichen.

Offenbar wird Phantomias derzeit von einer Pechsträhne verfolgt...
SCHURKENSCHAFT ENTENHAUSEN HAUPTQUARTIER

...die ihm eine nicht enden wollende Serie von Fehlschlägen beschert!
Und das war erst der Anfang!

Das verdanken wir alles unserem Superexperten!
Er kennt die maskierte Seele in- und auswendig, deshalb wissen wir immer schon im Voraus, wie Phantomias reagieren wird!
Das war mal! Ab jetzt werde ich heldenmütig schweigen!

Tatsächlich?

Seufz! Wenn ich recht überlege, packt mich doch eher der Mut zur Feigheit.

Tags darauf...
So ein paar Missgeschicke können doch jedem passieren.
Vielleicht. Aber vielleicht hat Phantomias auch den Mumm verloren.
BILLIG
GEMÜSE
ZWEITE

Spielen wir Räuber und Phantomias?
Gemacht!

Ich bin dann der Räuber und du bist der maskierte Rächer!
Nein, du!

Und wie haltet ihr drei Würmlinge es in letzter Zeit mit Phantomias?
Darauf gibt es nur eine Antwort, Onkel Donald.

Für uns bleibt er immer...
...unser Vorbild!

in kleiner Licht-
lick in finsteren
eiten...
Solange die Jungs mir vertrauen, gebe ich nicht auf! Also an die Arbeit!
GOLDSCHMIED
QUIETSCH
Jetzt wird es lustig. Alle drei auf einmal geht nicht.
Lupus, der Luchs!
Michelius, die Maus!
Und Daibius,der Dachs!
Da Lupus den größten Beutel schleppt, ver-mute ich, dass ich dem Luchs die Beute ab-luchsen muss. Und – hab ihn!
Reingefallen! Der Sack ist leer! Wir haben wieder mal bereits ge-wusst, was du tun würdest.

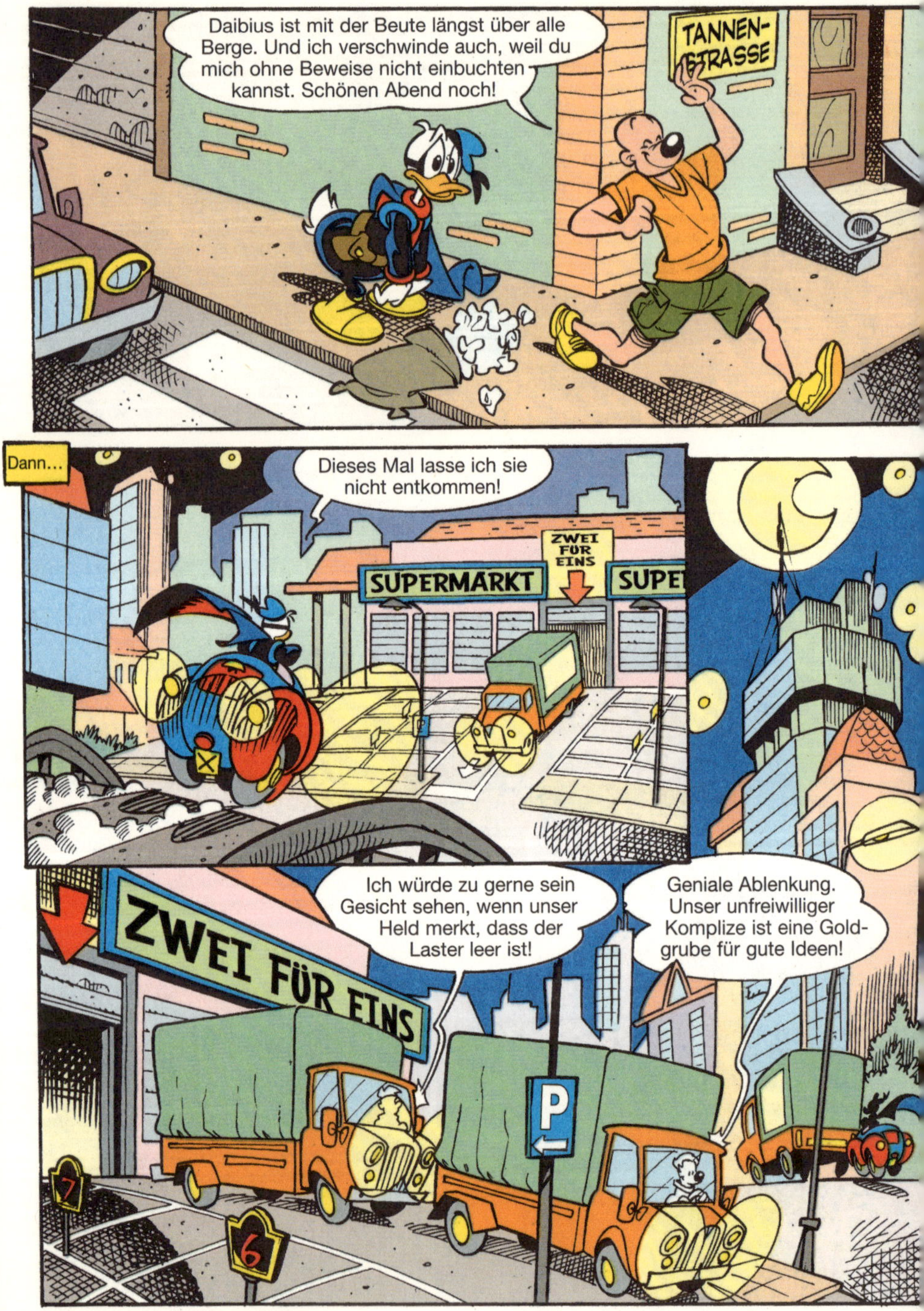

Dann...

Dieses Mal lasse ich sie nicht entkommen!

ZWEI FÜR EINS

SUPERMARKT

ZWEI FÜR EINS

Ich würde zu gerne sein Gesicht sehen, wenn unser Held merkt, dass der Laster leer ist!

Geniale Ablenkung. Unser unfreiwilliger Komplize ist eine Goldgrube für gute Ideen!

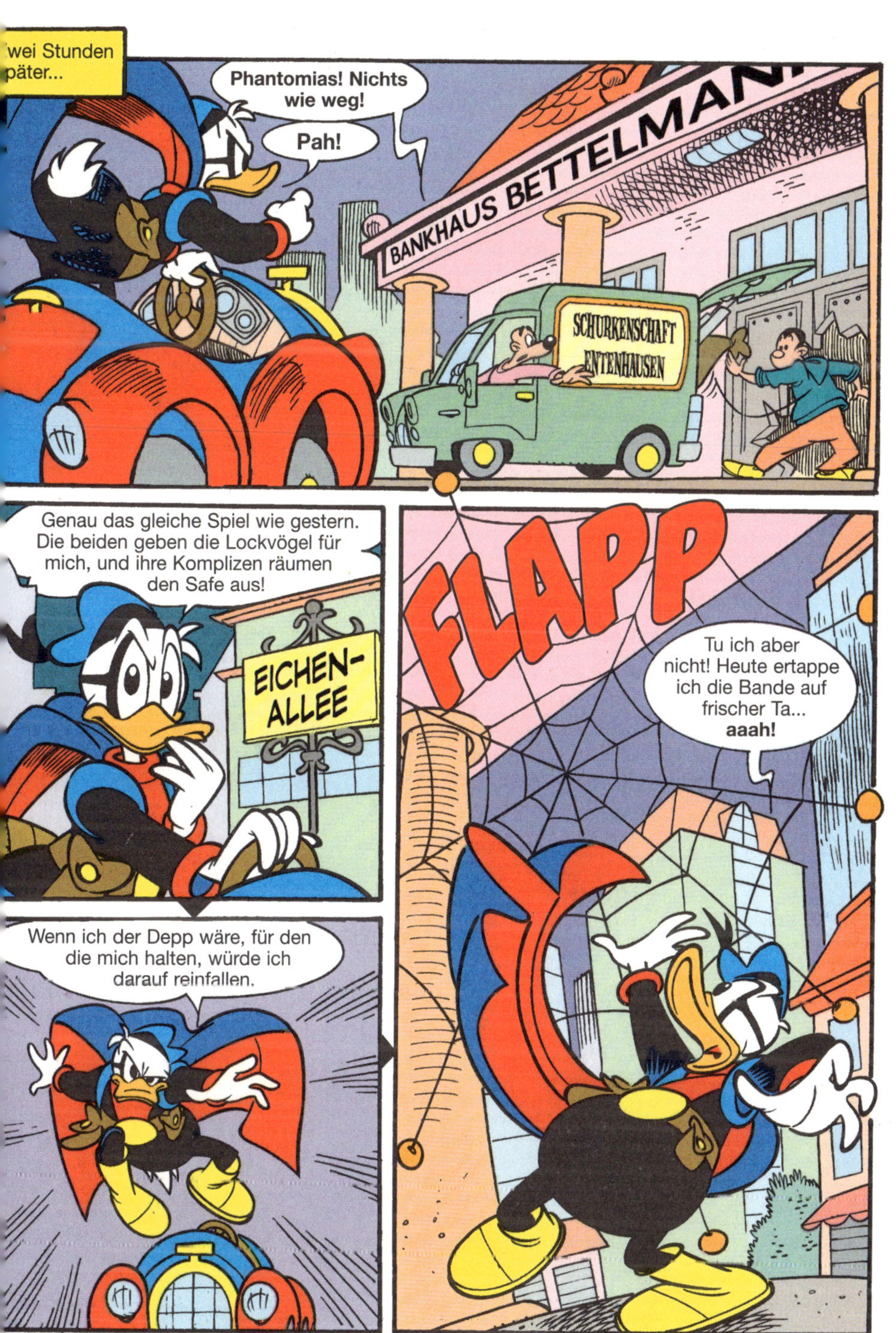
wei Stunden
päter...
Phantomias! Nichts wie weg!
Pah!
BANKHAUS BETTELMAN
SCHURKENSCHAFT ENTENHAUSEN
Genau das gleiche Spiel wie gestern. Die beiden geben die Lockvögel für mich, und ihre Komplizen räumen den Safe aus!
EICHEN-ALLEE
Wenn ich der Depp wäre, für den die mich halten, würde ich darauf reinfallen.
FLAPP
Tu ich aber nicht! Heute ertappe ich die Bande auf frischer Ta... **aaah!**

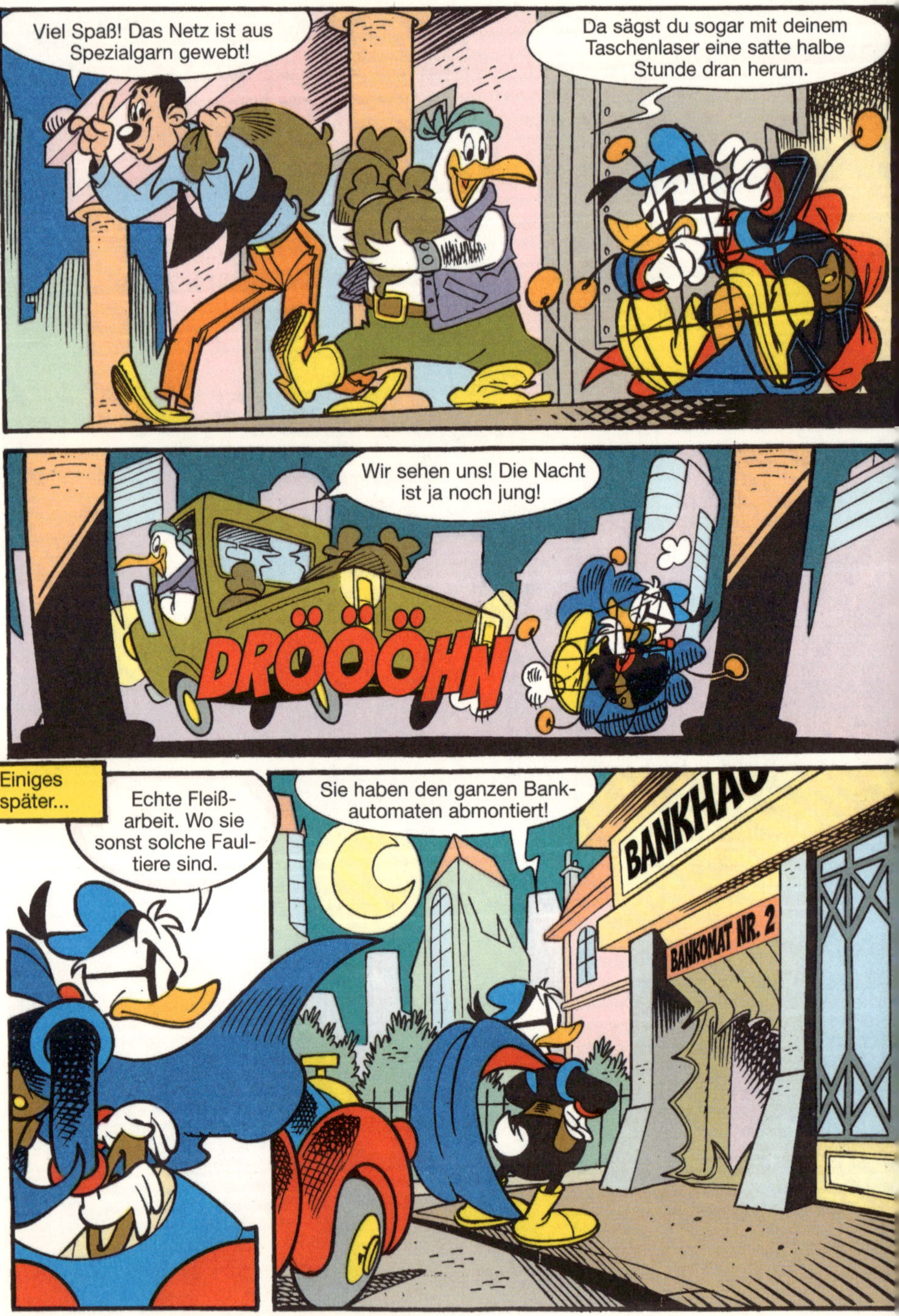

Einiges später...

Sie haben den ganzen Bankautomaten abmontiert!

Echte Fleißarbeit. Wo sie sonst solche Faultiere sind.

BANKHAU

BANKOMAT NR. 2

So viel Einfallsreichtum bin ich von meiner Kundschaft gar nicht gewöhnt. Ich frage mich, was dahintersteckt.

Und die Antwort lautet: Jemand, der mich fast besser kennt, als ich selbst. Und das kann nur Sven Savoir sein.
Hilfe!
Was?
PATSCH

Was ist los?
Meine Brieftasche! Die haben die beiden Halunken dort gemopst!

Ich muss sie wiederhaben! Da sind die Bilder meiner Zierfische drin!
Na, wenn das kein guter Grund ist!
SPROING

Hast du gesehen, wer da kommt?
Mit großem Vergnügen!

Lauft ihr nur! Mit meinen Sprungstiefeln habe ich noch jeden eingeholt!
Ah ja?
Holen und Halten ist zweierlei!

Hab ich dich!
Fang auf!
PACK

Locker!

Nimm es nicht so schwer, wir werden alle älter!
Spar dir die spitzen Bemerkungen!
SPROING

Damit läufst du bei mir gegen eine Wand! **Ugh!**
PATSCH

Huhu!
TOCK
TOCK
Huhu!
Uack!
KEIN SPASS
Aaah!
Herrje!
BOING

Endlich macht die Sonne dem finsteren Treiben ein Ende...
Noch so eine Nacht und ich lasse mir vor der Zeit meine schmale Superheldenpension auszahlen.

Daran ist nur dieser Savoir schuld! Der zieht mit den Ganoven an einem Strang!

Macht einen auf Heldenverehrung und führt Verrat im Schilde. Das hätte ich nicht von ihm gedacht.

Augenblick!
PATSCH

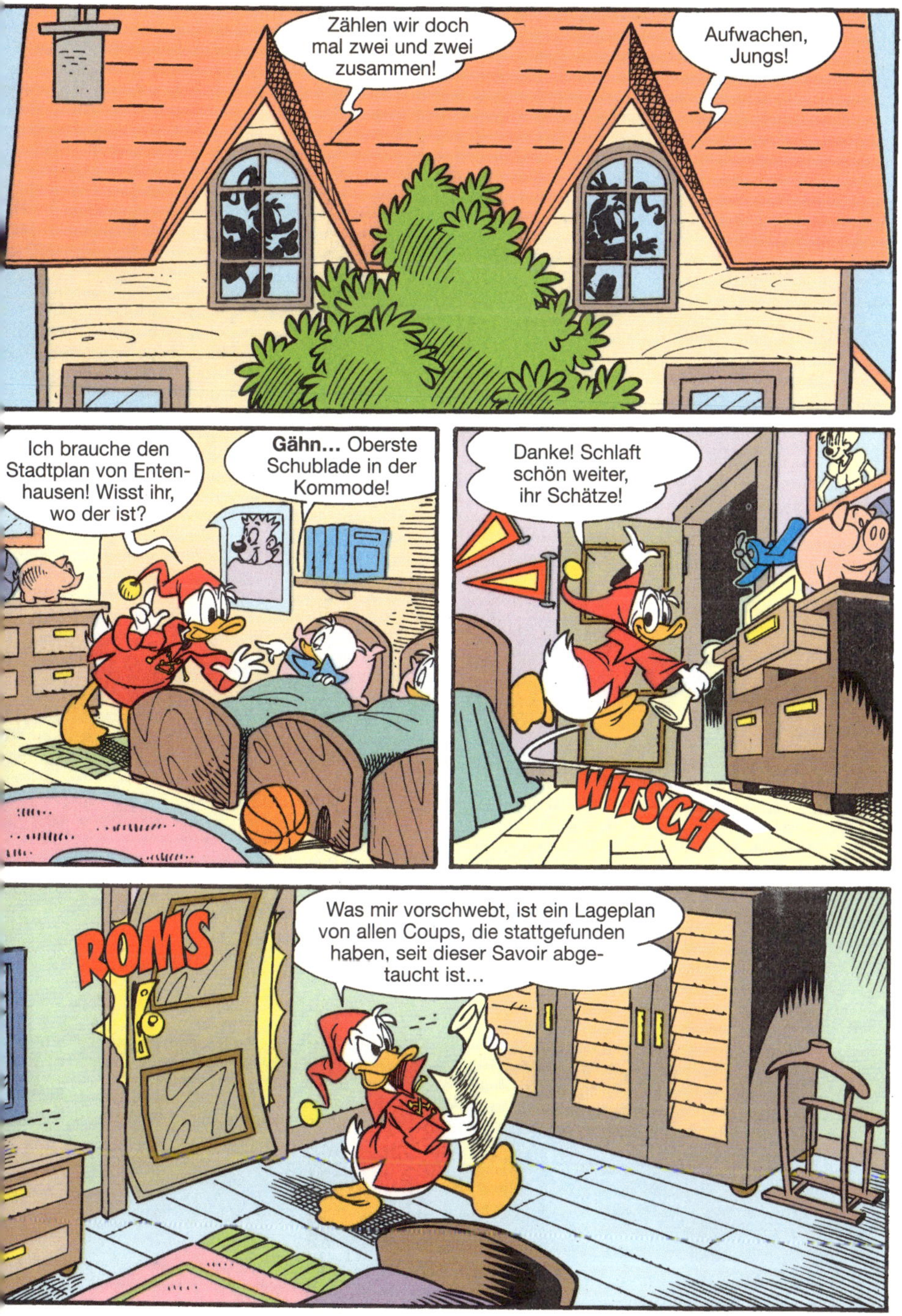

Zählen wir doch mal zwei und zwei zusammen!

Aufwachen, Jungs!

Ich brauche den Stadtplan von Entenhausen! Wisst ihr, wo der ist?

Gähn... Oberste Schublade in der Kommode!

Danke! Schlaft schön weiter, ihr Schätze!

WITSCH

Da war als Erstes der Einbruch ins Bankhaus Zacharias Zwei!

Hier! Sauber markiert und weiter im Plan!

Dann der Juwelier im Buchenweg.

Danach war dort der nächste Überfall.

Schließlich der Goldschmied in der Tannenstraße und der Supermarkt Zwei für Eins! So langsam kommt ein wenig Licht ins Dunkel!

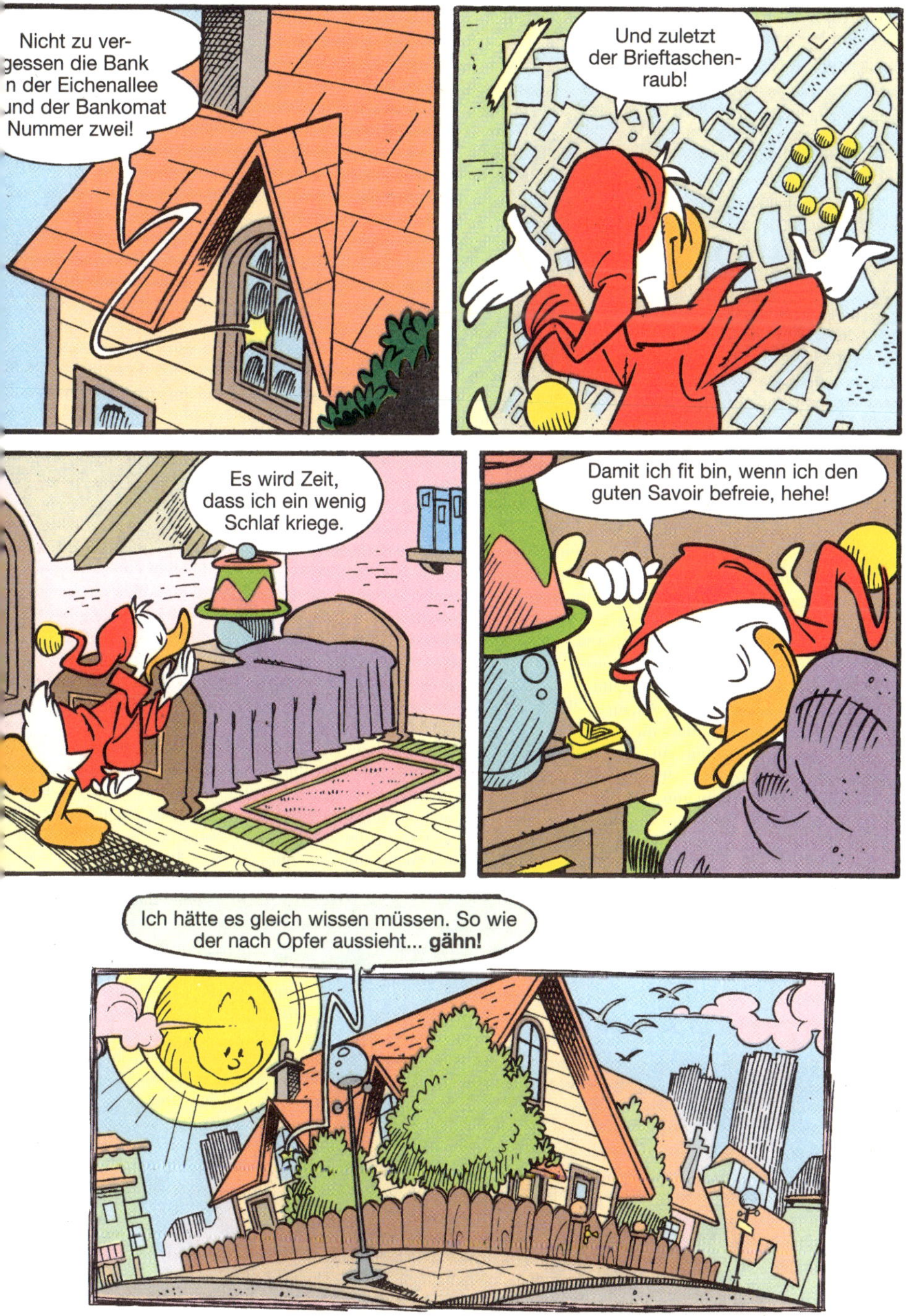

Nicht zu ver-
gessen die Bank
n der Eichenallee
und der Bankomat
Nummer zwei!

Und zuletzt
der Brieftaschen-
raub!

Es wird Zeit,
dass ich ein wenig
Schlaf kriege.

Damit ich fit bin, wenn ich den
guten Savoir befreie, hehe!

In der Nacht...
Alles bereit?
PINIEN-GASSE
Klar, Phantomias! Wir nehmen die ganze Bande auf einen Schlag fest...
...und befreien die Geisel!

Vorwärts, Männer!
SCHURKENSCHAFT ENTENHAUSEN HAUPTQUARTIER
Zum Angriff!

Mist! Die Polente!
Keine Bewegung! Ihr seid verhaftet!
Phantomias!
Weg mit der Feder, Tetron, sonst rupfe ich dich persönlich!
Jngh!
STOMPF
Alles in Ordnung mit Ihnen?
Seit du hier bist, könnte es mir gar nicht besser gehen, Phantomias!
Und...
...lautet die erste Frage des Abends an Herrn Savoir: Wie konnte es zu Ihrer Befreiung kommen?
TV ENTEN-HAUSEN
E TV

Ganz einfach! Die Verbrechen, die ich den Ganoven sozusagen einflüsterte, enthielten zwei versteckte Botschaften für Phantomias!
Dadurch gelang es mir, den Schlupfwinkel der Bande zu finden!

Aber ich gebe zu, dass es gedauert hat, bis ich dahinterkam!

Die Filiale der Bank, der Supermarkt und der geraubte Bankautomat...
...standen alle deutlich mit der Zahl Zwei in Verbindung!

Der Juwelier, der Goldschmied und die zweite Bank liegen...
...in Straßen, die Baumnamen tragen!
Genau wie der Schlupfwinkel der Schurken in der Piniengasse zwei! Genial gemacht!

Und jetzt ab in die Heia!
Heute Nacht können wir ruhig schlafen.
KLICK
Ja! Alle Rätsel sind gelöst!

Alle?

Finde ich nicht! Wie kann es sein, dass Phantomias im Fernsehen war, und ich, also auch er, hier bei mir zu Hause?

Gähn... Ich schätze, das ist nicht schwer zu erraten.

Die Sendung war eine Aufzeichnung.
ZWINKER

ENDE

Created 2001

Carlo Panaro (Story), **Sandro Dossi** (Zeichnungen)

„Vor langer Zeit verbreiteten Piratenbanden Angst und Schrecken auf den Meeren und in den Dörfern an der Küste, die sie auf ihren Raubzügen heimsuchten…“

„In ihrer maßlosen Gier machten sie nicht einmal vor Greisen und hilflosen Kindern halt…“
Du spielst wohl den Schlaukopf, Alter?
„Sie rafften alles an sich, was nicht niet- und nagelfest war…“
„…und selbst den Ärmsten der Armen ließen sie nicht das Nötigste zum Leben.“
Wie soll ich denn nun über den Winter kommen?

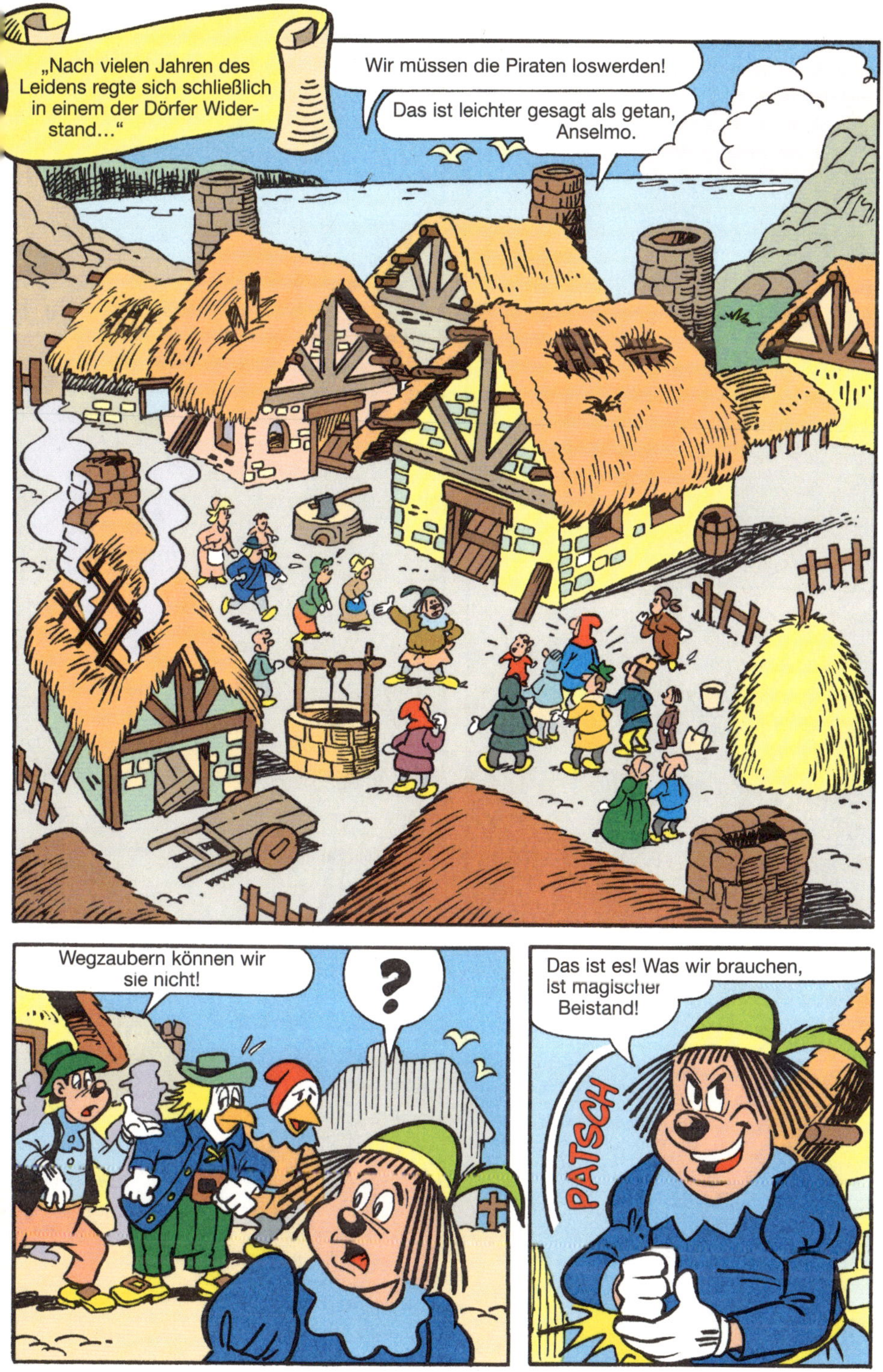

„Nach vielen Jahren des Leidens regte sich schließlich in einem der Dörfer Widerstand…“

Wir müssen die Piraten loswerden!

Das ist leichter gesagt als getan, Anselmo.

Dort oben haust doch der alte Hexen-meister Heron! Der kann uns sicher helfen!

„Und so machte sich eine Abordnung der Dorfbewohner unter Anselmos Führung auf zur Hütte des Magiers…“
Stöhn! Dass Zauberer immer so ab-seits leben müssen.

Wir sind da, Freunde! Und der Alte hoffentlich auch.

FLATTER
?
FLATTER

He! Und er hat uns sogar erwartet!
WILL-KOMMEN!

„Die Abgesandten wollten ihre verzweifelte Lage schildern, jedoch…“
Ich weiß alles! Meine Eule hat es mir zugetragen.
Du verstehst ihre Sprache?

Mir ist nichts fremd auf dieser Welt. Und deshalb…

…habe ich auch die Lösung für euer Problem!

Diesen „Helm der Macht“ habe ich für euch geschaffen!

Wer ihn trägt, wird unverwundbar! Damit könnt…

…ihr die Piraten vertreiben.
Fantastisch!

Wer soll ihn tragen?
Ich! Denn ich bin der Dorfvorsteher!

„Voller Vertrauen zog Anselmo den magischen Helm über…“

Merkst du etwas?
Ich fühle mich wie immer!
Das täuscht!

Hier! Greift ihn an!

He!

Uffa!
KRACKS
SPLITTER
Die Macht des Helms schützt ihn!

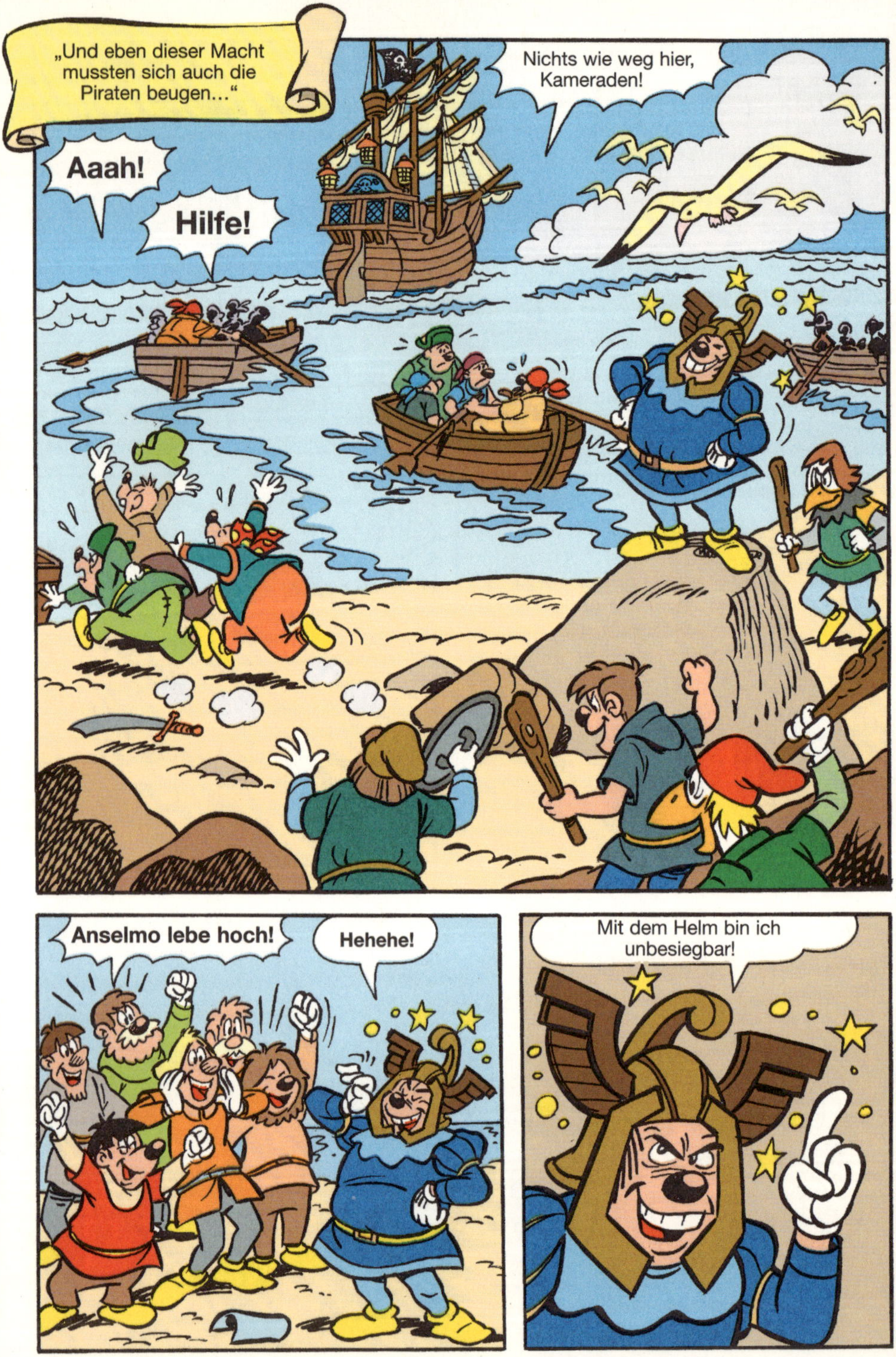

„Und eben dieser Macht mussten sich auch die Piraten beugen…“

Aaah!

Hilfe!

Nichts wie weg hier, Kameraden!

„Eine Tatsache, die dem guten Anselmo schnell zu Kopf stieg. So wurde er bald vom Dorfvorsteher zum Despoten…“
Die Fische konfisziere ich für meine Geburtstagsfeier!
Das ist nicht recht!

Was Recht ist, bestimmt, wer Macht hat! Und das bin ich!

Seufz!

Der ist schlimmer als die Piraten!
Die haben uns nur zweimal im Jahr ausgeplündert!

„In ihrer Not wandten sich die Bewohner des Dorfes erneut an Heron, den Hexen-meister…“
Ja, Macht verführt! Und wer unbesiegbar ist, hält sich leicht für un-angreifbar! Doch da irrt er!

Zumindest, wenn Magie im Spiel ist!

O nein! Mein Helm!

He! Hierge-blieben!

Aua!

PLOTSCH

Hoho!
Haha! Jetzt bist du da, wo du hingehörst!

Zerstören kann ich ihn nicht…

…wohl aber verstecken!
WUUUUSCH

Wer wahrhaft Böses im Schilde führt, den fliehe der Helm!

Seitdem hat man nie mehr von Herons Helm gehört…

…bis heute!
Hm! Jetzt verstehe ich.

Jemand muss den Helm gefunden haben.
Ein Ganove, ganz offenbar!

Sogar einer, den ich kenne! Der Kerl auf dem Bild ist Nick Nimtes.

Eigentlich ein kleiner Taschendieb. Banken waren nie sein Ding. Aber der Helm der Macht macht ihn zu einer großen Nummer!

„Fünf Banken hat er schon ausgeräumt, ohne dass die Polizei ihn stoppen konnte!“
RATTATTATTA
RATTATTA
RATTATTATTA
PÄNG
PÄNG

Und du?
Ich leider auch nicht.

Doch nun, wo ich Bescheid weiß, kriege ich den Burschen schon klein.

Vielen Dank für alles, Professor von Quack!
Es war mir ein Vergnügen!

Seufz! Ganz so zuversichtlich, wie ich tue, bin ich ehrlich gesagt nicht.

Aber wenn der Helm eine Schwachstelle hat, dann finde ich sie!

Phantomias!
Da bist du ja endlich!
Oh! Hallo, Freunde!

Erzähl uns was! Wie gestern!
Heute nicht, Kinder! Keine Zeit.

Nur ein kurzes Abenteuer!
Oh, bitte!
Na, meinetwegen!

Also… vor ein paar Tagen hörte ich auf meinem nächtlichen Rundgang plötzlich einen schrecklichen Schrei…

KREISCH
Etwa so?
Ja, ganz genau so!

Herrje! Da ist was passiert!

Entschuldigt, Kinder! Ich werde gebraucht!
Dringend, wie es scheint!

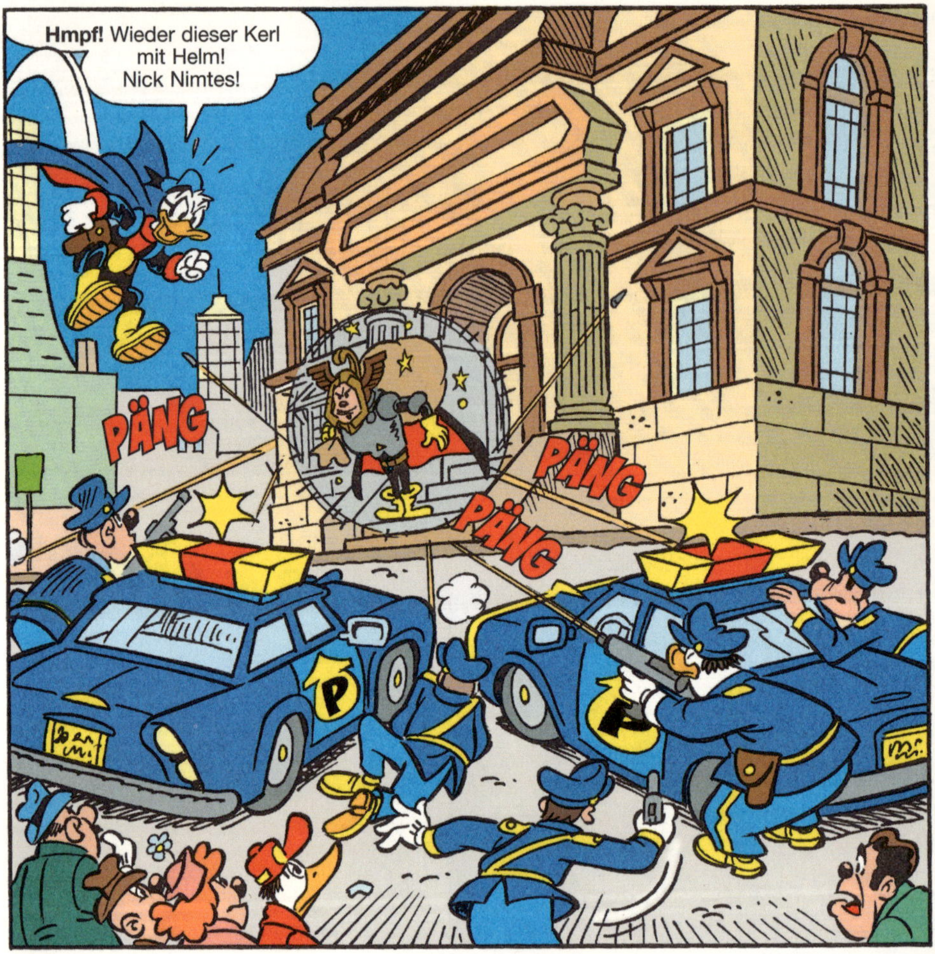

Hmpf! Wieder dieser Kerl mit Helm! Nick Nimtes!
PÄNG
PÄNG
PÄNG

Schluss mit
dem Unfug!

Ich habe keine Zeit für Spielereien!

Aaah!

Ächz! So einem Superschurken
sind wir nicht gewachsen!

Höchstens ein Super-
held!
Ein Super-
trottel bist du!

Frechheit! Dafür setzt es was mit dem Phantorang!
WITSCH

KNIRSCH
Das hält mich nicht auf!

Dann eben der Stoppstrahler! Der ist schließlich dafür gemacht.
ZAPP

Zwecklos!
ZAFATZ

Unglaublich! Jetzt bin ich gezwungen, meine fieseste Waffe einzusetzen.

Den Weichspüler! Eine ganz gemeine Erfindung ist das. Für absolute Notfälle!
FLATSCH

Das Zeug lässt den Asphalt für kurze Zeit weich werden…
Grmpf!
FLOTSCH

…und ihn dann gleich wieder erstarren.
KNIRSCH

Jetzt ist dir das Grinsen vergangen, was?
Nein!

Jetzt lache ich lauthals! **Wohahahaha!**
Uaaah!

Netter Versuch! Aber viel zu aufwendig!

Ich mache es mir da einfacher!
KLOPS

Bis bald, Phantomias! **Hahaha!**
WROMM
Der ist wirklich unbesiegbar!

Der Halunke hat mich zum Affen gemacht, keine Frage!

Aber das zahle ich ihm heim!

Hallo, Phantomias!
Erzählst du uns jetzt das Abenteuer?
Ein andermal! Gerade ist mir nicht danach!

Ja, gut! Es ist sowieso schon ziemlich spät!

Wir packen zusammen und gehen nach Hause!
?

Noch ein bisschen näher ran…

…dass der Magnet zu-
schnappen kann!

Drauf damit und ab die Post!
Hmm…

Das ist es!

Tags darauf…
Ich habe ihn im
Visier!

Feuer!

Diese Dummköpfe glauben immer noch, sie könnten mich aufhalten!
FFFUMP
Hahaha!
KA-BOMM

He, du da? Ja, du mit dem lächerlichen Deckel!

Ich fordere dich zum Duell heraus! Komm doch rüber, wenn du dich traust!

Grmpf! Den maskierten Pavian pflück ich vom Turm!

Das Dach wisch ich auf mit diesem Dämlack!

Wo hast du dich versteckt, du Superpfeife?

Hier bin ich!
ZAPP

Mein Magnetstrahler zupft dir die Trockenhaube von der tauben Nuss! Dann ist es vorbei mit der Unbesiegbarkeit!
Aaargh!
ZOING

Doch...
Mist! Da tut sich nichts!

Die Idee war gar nicht mal so übel! Respekt!

Aber gegen Magie ist nun mal kein Kraut gewachsen!

Bei Kraut fallen mir ulkigerweise Radieschen ein! Rat mal, von wo du die bald betrachten wirst!

Ich habe durchaus nicht vergessen, wie du mich damals eingebuchtet hast.

Da ist eine deftige Runde Rache fällig! **Hehehe!**
SCHWIRR

Guten Flug!
WUUUSCH

Und keine falschen Hoffnungen! Das war erst der Anfang!

Armer Phantomias! Er hat keine Chance!

Und wir können gar nichts tun, um ihm zu helfen!

Was ist denn hier los?
Lauft nach Hause! Das ist nichts für Kinder!

Seht mal da oben! Das ist unser Freund Phantomias!

Dein letztes Stündlein hat geschlagen!

Leb wohl, Phantomias!

Nein!

Buhuu!

Doch genau in diesem Moment zeigt der Zauberspruch des alten Hexenmeisters seine Wirkung...
Aaargh!
WER WAHRHAFT BÖSES IM SCHILDE FÜHRT, DEN FLIEHE DER HELM!

He! Was soll das werden?

Eine satte Niederlage für dich!
Urgh!
KLOPS

Hurra! Phantomias hat gesiegt!
Er ist eben doch der Größte!

Für Halunken wie dich hat der gute Heron eine magische Notbremse in den Helm eingebaut.

Fährst du mit uns Phantomias?
Nein danke, ich bin verabredet…

…mit meinen jungen Freunden!

Ich bin jetzt so recht in der Laune, euch ein paar von meinen spannendsten Abenteuern zu erzählen! Am besten fangen wir mit diesem hier an.
ENDE

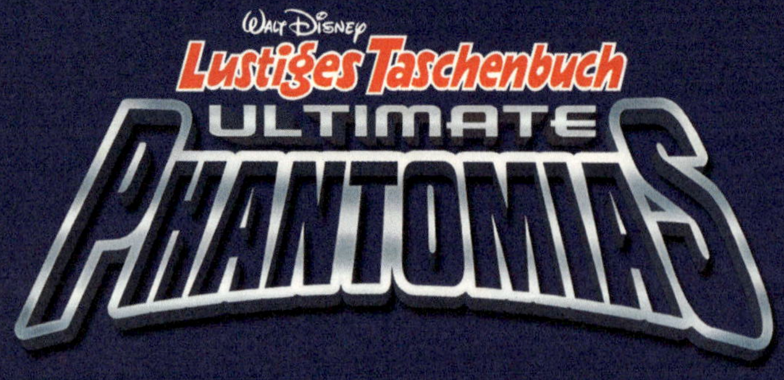

ERSTVERÖFFENTLICHUNG

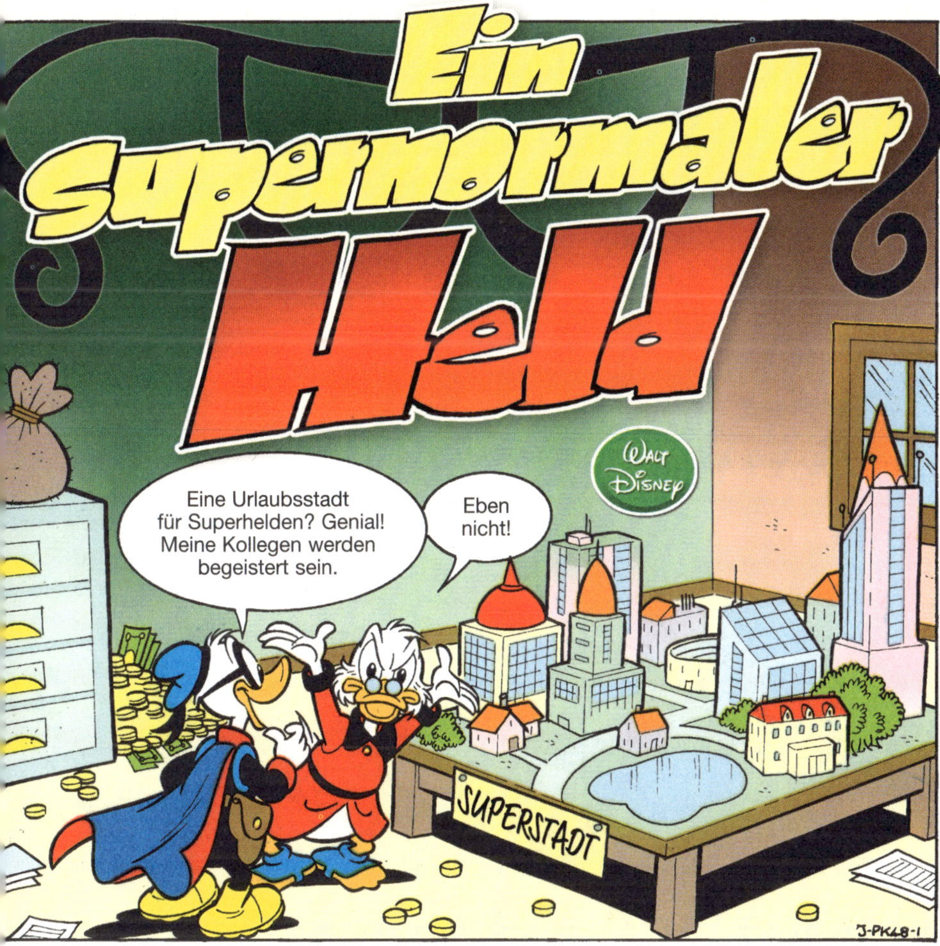

Ein Supernormaler Held

Walt Disney

Eine Urlaubsstadt für Superhelden? Genial! Meine Kollegen werden begeistert sein.

Eben nicht!

SUPERSTADT

J-PK48-1

ugusto Macchetto (Story), **Luciano Gatto** & **Michele Mazzon** (Zeichnungen)

Finde heraus, woran es liegt!
W-wieso i-ich?

Du bist schließlich ein Superheld, nicht?
Und kosten-los.

Es gibt ein Stadion, drei Kinos, Läden, Parks… alles ist super!
KLUNK

Sogar ein Freibad. Wie schön!
BOING

Und dennoch laufen meine Kunden davon. Ohne Kunden, keine Einnahmen. Und ohne Einnahmen ende ich am Bettelstab…
Schon gut, ich kümmere mich darum!

Jnd so…
Da vorne ist es. Sieht nicht schlecht aus!
VROMM

Hmm… es ist fast Mittag. Mal sehen, ob es hier ein Restau… **huch!**
Halt! Geschwindigkeits-verstoß!
WUSCH
ZIIIISCH

Tut mir leid, dass ich zu schnell war!
Zu schnell? Eher zu langsam!

Halten Sie sich künftig an die Verkehrsregeln!
MINDEST-GESCHWINDIGKEIT 600 km/h

Ich schalte den Turbo ein.
Erst gibt es ein saftiges Bußgeld.

Mehr Beschleunigung!
Urks!
ROARRR

Der Tank ist leer.
Dafür sind wir da!
SPOTZ
SPOTZ

Super oder hyper?
Na ja… voll, bitte!

Apropos… Mein Bauch ist auch leer. Können Sie mir einen guten Imbiss empfehlen?

SUPERMEGABURGER
Oha!
Vor Ihnen! Die Burger sind dort super.

Und so…
Lecker… geradezu super!
Hehe! Danke!
SCHINKEN
3 T

Schön, mal einen begeisterten Kunden zu haben!
SCHINKEN
3 T

Oh… nur lange Gesichter um mich herum. Wieso das?
Machen Sie sich ruhig selbst ein Bild!
SCHINKEN

Daher…
Hmm… Sie sollten sich amüsieren, nicht langweilen.
Schuss! **Uff!**
Meiner!

Hallo… wie läuft das Spiel?
Ach, wir kicken nur hin und her.

Kein Wetteifer?
Vielleicht bringst du ja Spaß ins Spiel.

Kann er mitspielen, Jungs?
Klar! Stell ihn ins Tor!

Hier, bitte!
Wieso so viele?

Du wirst sie brauchen.
BUMP BUMP
BABUMP
BUMP

Keuch!
Nimm den!
BOMP
BABUMP
KICK

Glanzpara… **ah!**
BLAMM
ZIPP

Japs! Beeindruckend.
SWUSCH

Nach dem Spiel...
Du hast dich gut geschlagen, leider!
Dank meiner super Sprungfederstiefel!

Wie ist das Spiel eigentlich ausgegangen?

Unentschieden, wie immer! Achtundsiebzig zu achtundsiebzig.

Das ist ja das Problem! Nie verliert einer.
Wir sind zu gut. **Seufz!**
Zu super. **Seufz!**

Pah! Die Erwachsenen sind totale Miesepeter.

Die Kinder jedoch…
Und nun?

Spielen wir Verstecken!
Schon wieder?

Ich zähle bis zehn!
Und nicht schummeln! **Hehe!**

Das wird nicht leicht. Sie suchen sich super Verstecke!
Bitte? Sechs, sieben, acht…
ZIPP
ZIPP

...zehn! Ich komme!
ZUMM

Als ich klein war, benötigte ich...

...drei Nanosekunden. Ich werde immer besser!
Ist das öde!
Umpf!
SWUUSCH
PATT

Wie hast du das gemacht?
Mit meinem Super-blick!

Damit entgeht mir nichts! Sie haben übrigens ein Loch in der Socke.
Oh!

Hüstel… Jetzt verstecke ich mich.
Hehe!
Wenig später…
Sie sind mir nicht gefolgt. Ich bin wohl zu langweilig.
Das trifft den Nagel auf den Kopf: Langeweile!
Pah!
Es bedarf mehr Normalität! Für Helden mit Superkräften ist das Leben hier zu einfach.
Sie sagen es! Deshalb reisen wir ab.
P

Und so…
Wie furchtbar! Denk dir rasch etwas aus!

Immer mit der Ruhe!
TELEFON

Ich weiß, wer das Leben von Superstadt aufpeppen kann.

Das ist ein Fall für…
RUMPEL
TELEFON

…Donald, den Normalbürger!
Uh? Komischer Typ!

Ob das klappt? Donald ist ganz sicher nicht super, aber speziell allemal…
Ich muss unbedingt den Rasen mähen.
Ich kenne einen grünen Superdaumen. Soll ich ihn anrufen?

Entschuldigen Sie… vielleicht kann ich helfen. Ich bin Hobbygärtner.

Gerne! Der Rasenmäher ist in der Garage.
Gut!

ROOOAR
Supernervig, das Unkraut…

Aaah! Dieser Superrasenmäher ist zu schnell!
ROAR

Ups!
BONK
WUPP
ROOOARRR
DONK
Aber…

Herrlich! Welch flotter Schnitt.

Meinst du meine neue Frisur?
Auch!

Der Garten war immer so perfekt langweilig. Und jetzt…
Sie Genie!

Ich habe noch eine Aufgabe…

Der Wasserhahn tropft.

Urgh! Sitzt der fest!

Wenige Minuten später…
Fantastisch! Ich wollte schon immer ein eigenes Hallenbad.
Ächz!

Ich rufe meine Freunde an. Kümmern Sie sich derweil um die Elektrik!
O nein! Viel zu gefährlich.

Ich habe andere Pläne!

Und...
Können wir anfangen?
Hm... irgendwie kommt der mir bekannt vor.

Auf geht's, Leute!
ZACK
BUMP

Weia! Auszuweichen ist noch schwieriger als zu halten.
ZUUUUSCH

BUMP
BADUMP
Autsch!
BOMF
BOPP
DOMP

Wie viel steht es?
N-neunundachtzig zu null.

Aber dann…

…haben wir verloren!
Hehehe! **Aua! Stöhn!**

Und wir haben gewonnen! Du bist ein authentischer Keeper.
Danke!

Wir wollen eine Revanche… mit Niederlage.
Ein andermal. Ich muss los!

Bald…
Fertig? Los!
Haha! Wie lustig!
HÜPF HÜPF
HÜPF

Erster!
Zweiter! Hahaha!
ZIEL
HÜPF

Du bist der Letzte. Aber es hat Spaß gemacht, oder?
Und wie!

Schön, so zu spielen… chancengleich.
Die Superkräfte haben heute Pause!

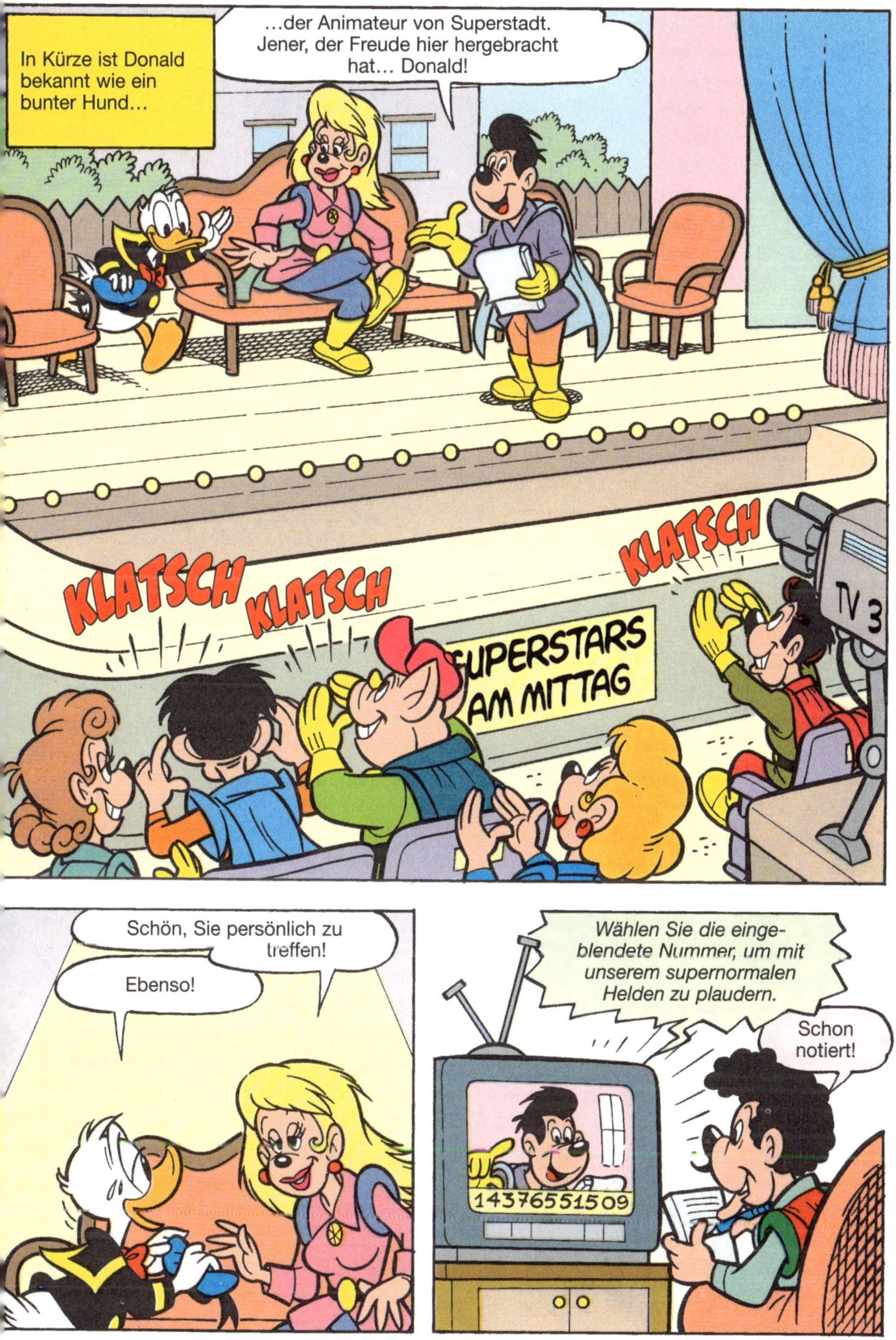

In Kürze ist Donald bekannt wie ein bunter Hund…

…der Animateur von Superstadt. Jener, der Freude hier hergebracht hat… Donald!

KLATSCH KLATSCH KLATSCH

SUPERSTARS AM MITTAG

TV 3

Und so...
Seht, da ist Donald!
Meine Superschwiegermutter wurde handgreiflich.

Heute war ein anstrengender Tag. Ich...

Komm mit mir!
Ups!
SWUSCH

Gefällt es dir?
Ja... super Panorama!
SWUUUSCH

Doch selbst in schwindel-
erregender Höhe…
In „Entenhausener mit Erfolg“
stellen wir jede Woche
einen Helden vor.
FLAPP
FLAPP
FLAPP

Ein Wort an unsere
Zuschauer!
Öh…

Viele Grüße…
wir sehen uns!

Grrr! Früher als dir lieb ist,
du Casanova!

Donald ist einfach super…
Noch ein Spiel, bitte!

…mit und ohne Maske!
Tag, Kollege!

Mal Onkel Dagobert anrufen.

Oh, Phantomias! Ich gratuliere zu der tollen Idee… Ich wundere mich nur, dass mein Faulpelz von Neffe da mitmacht.

Nun, ich weiß, ihn zu überzeugen.
TELEFON

Hier gibt es allerdings ein Problem.
Schnaub!

Herrje!
Sag ihm, dass er sofort zurückkommen und...

...sich von dieser Superschnepfe fernhalten soll!

Verstanden?
TELEFON
Ähm... ja!

Phantomias? Keine Sorge, ich habe bereits einen Ersatz.

Er kommt morgen? Ich hoffe, er ist für den Job geeignet.

Am nächsten Tag…
HURRA HURRA
WILLKOMMEN, ERSATZMANN!
Räusper… Was genau muss ich tun?
Sei einfach du selbst! Nur Mut, du machst das super!
Vielversprechend, nicht?
ENDE

VORSCHAU

Band 25 ab 18. 1. 2019 im Handel!

Oder unter www.egmont-shop.de/ltb-phantomias